2時間で丸わかり

税理士
吉澤大

不動産の税金の基本を学ぶ

Basics of the real estate tax

かんき出版

●はじめに

■不動産の税金は「夏休みの宿題」のように後回しにされる

「不動産のプロ」として仕事をするには、物件の善し悪しや価格の妥当性の判断をはじめとして、法律上の規制や融資などたくさんの知識が必要になります。

それらを実務や書籍などを通じて理解していくだけでも大変ですが、もう一つ、不動産のプロが絶対に身につけておかなくてはいけない知識があります。

それは、**不動産の税金に関する知識**です。

なぜ、不動産の税金に関する知識が、お客様に信頼される不動産のプロにとって不可欠なのでしょうか。

これから憧れのマイホームを購入しようとしている人は、「いずれ税金は掛かるだろう」と思いながらも、物件の立地や間取りへの関心のほうがずっと強いものです。税金のことなど考えても楽しくないのですから当然でしょう。

また、不動産投資の一環として賃貸用物件を購入しようとする人にとっても、最大の関心事は、その不動産投資でどれだけの家賃を得ることができるかという「利回り」のはずです。結果として、不動産を購入する時点での税金に対する関心は決して高くはありません。

つまり、不動産取引において、**税金のことを誰もが積極的に学ぼうとはしない**のです。

納税が必要になった段階で渋々考える、まるで「夏休みの宿題」のように後回しにされているのが実情でしょう。

しかし、実際に不動産を所有すると、これでもかというくらい多くの場面で、税金が掛かってきます。

ときには、思わぬ負担になって家計を苦しめたり、事業の資金繰りに悪影響が出てしまうこともあります。

誰もが積極的に学ぼうとしない税金だからこそ、きちんと学び、的確なサポートをすることで、そんな悲劇からお客様を救うことも、不動産のプロとして重要な仕事なのです。

お客様と専門家をつなぐ「通訳」になろう

では、不動産のプロとして、税金の知識はどのレベルまで身につければいいのでしょうか？

「節税や税務申告が完璧にできるよう、税法の詳細な規定を覚える」――これは、あまりお薦めできません。

不動産に関する税金は各種の税法にまたがり、その規定は税理士の私から見ても複雑で難解です。しかも、困ったことに頻繁に改正がされ続けているのです。

いかに重要とはいえ、不動産のプロが、これらをすべて把握するのは得策ではないでしょう。不動産のプロには、もっとやるべきことがたくさんあるはずです。

かといって、「不動産の税金については、税理士などの専門家に直接相談をするよう、顧客にアドバイスをする」――これでは、信頼されるプロにはなれません。

多くの人にとって、不動産の取引に関わるのは一生に一度か、多くても数回程度でしょう。

そのときに、不動産のプロは、本来、お客様の最も身近な相談相手であるはずです。

「税金のことはわからないから」とすぐに税理士に丸投げするようでは、お客様の信頼を得るせっかくのチャンスを自ら放棄しているようなものです。

では、お客様から信頼される不動産のプロは、どんなスタンスで不動産の税金に取り組めばよいのでしょうか？

はじめて不動産を売買する人にとっては、「何を相談すればよいのか」ということ自体がわかりません。そもそも、不動産の取引にどんな税金がかかるのかすら、ほとんどの人は知らないでしょう。

ですから、不動産のプロとしては、不動産の税金の仕組みをお客様にわかりやすく伝えるとともに、「専門家に何を相談すればよいのか」を引き出すことが必要です。

一方で専門家は、法律や制度について熟知しているとはいえ、お客様の事情のすべてを把握しているとは限りません。

そこで、間に入る不動産のプロが、判断をする上で重要なお客様特有の事情などを専門家に伝えることで、双方の間に橋が架かります。そうすることで、専門家も見落としがなく、より的確なアドバイスができるようになるわけです。

つまり、不動産のプロが果たすその役割は、まさに**お客様と専門家をつなぐ「通訳」**といってよいでしょう。

そんな、「通訳」というお客様にもっとも近いポジションを獲得し、「わからないことがあっても、この人に相談をすればなんとかしてくれる」という信頼感を得ることができれば、どんなに競争が激しい時代になったとしても、常にお客様から選ばれるプロとして長く活躍することができるのです。

■難解な不動産の税金もこうすれば「2時間で丸わかり」

本書は、税金に関する多くの手引き書のように、詳細な税金の取り扱いについて網羅的に記載したものではありません。

「不動産取引についての税金の仕組みを頭に思い描けるようになること」「他人にわかりやすく説明ができるようになること」の二つを目的としています。

そのため、税法の詳細な規定についてはバッサリと切り落とし、要点だけに絞って解説しました。

みなさんにはぜひ、不動産取引のそれぞれの場面で、どんな税金が掛かり、税金上有利になるポイントはどこにあるのかを思い描きながら読んでいただきたいと思います。

具体的には、

1. 各章の冒頭にある**ロードマップ**で不動産取引の場面ごとに掛かる税金の全体像を把握する。
2. すべての項目について、「つかみ」の部分である**ダイアローグ**と箇条書きの**まとめ**に目を通す。
3. より深く知りたい項目について**本文**をじっくりと読む。

という手順でお読みいただくことで、難解な不動産の税金であっても、短時間で効率良く実務で使える知識が身につくはずです。

そうすることで、本書を読み終える頃には、きっと、あなたは不動産の税金について、誰かに説明したくて仕方がなくなることでしょう。

平成 26 年 1 月

税理士　吉澤　大

＊1 本書の内容は、平成 26 年 12 月 1 日現在の法令と明らかになっている法改正の情報に基づいています。

＊2 読者のみなさまに要点をわかりやすくお伝えするため、例外や特殊事例については省略をしています。実際の税務上の判断や申告の際には、詳細な規定を確認していただくか、税理士・会計士などの専門家にご相談ください。

〈本書の読み方〉

＊詳細は次ページ以降をご参照ください

本書では、不動産の取引を「購入・取得」「保有・賃貸」「譲渡」「相続・贈与」という４つの場面に分け、それぞれの場面で掛かる税金を全部で14の項目に分類し紹介しています。

各章の冒頭には、どの場面でどんな税金が掛かるのかという全体像を〈この章のロードマップ〉としてまとめております。

各項目のはじめには、その税金の勘どころを〈ダイアローグ（対話）〉の形で掲載しました。

その次のページから始まる本文では、「不動産のプロ」として最低限知っておいていただきたいレベルの知識を〈これを知らないと恥ずかしい……〉、ワンランク上の知識を〈ここまで知っていると信頼される！〉の２段階に分けて解説しています。

最低限の知識を身につけたい方は、「前者だけに集中して関心のある項目をざっと読む」、深いレベルの知識を身につけたい方は、「頭から最後まで通して読む」など、それぞれの目的に応じて読み進めてください。

なお、本文中の解説では、税金の仕組みそのものを理解しやくするため、細かい税率や、軽減税率などの特例を受ける際の適用要件、申告書の書き方などはあえて省きました。それらについて知りたい方は、本文解説のあとに設けた〈さらに詳しくなるための参考資料〉というコーナーをご一読ください。

各項目の最後には、要点が一目でわかる〈まとめ〉も用意していますので、知識の整理のためにご活用ください。

ダイアローグ

〈ダイアローグ〉では不動産業界の新人男性の素朴な疑問やグチに対して、先輩女性がユーモアを交えながら合いの手を入れ、その項目で紹介する税金の勘どころを語ります。各項目の「つかみ」の役割を果たします。

⑤税務署からの「お尋ね」への対応

ダイアローグ

家を買ったら召集令状が届いた!?

:「大変です！　以前、不動産をご購入いただいたお客様のところに、税務署から『召集令状』が届いたそうです！」

:「召集令状って、ずいぶん古いこというわね。どれどれ見せてみて。」

:「こ、これです。」

:「ああ、資金の出所の『お尋ね』じゃない。」

:「な、なんですか、その『お尋ね』って」

:「これは、お客様が不動産を購入した資金をどうやって賄ったのかという質問書よ。別に税務署に呼び出されているわけじゃないわよ。」

:「なんだ、そうなんですね。お客様も『税務署から通知がきた』と驚かれているし、私もパニックになってしまいましたよ。」

:「そうよね。税務署と聞くだけで普通の人はびっくりしちゃうものね。」

:「映画みたいに、税務署が突然家に押しかけてきて家の中をひっくり返すのかと。」

:「だったら、通知なんか出さないでしょ。会社勤めのお客様は、税理士さんと付き合いがない人がほとんどだから、『お尋ね』がくることは伝えておいたほうが良いわね。」

:「でも、なんで税務署は、お客様が不動産を購入した資金の詳しい中身について聞いてくるんです？」

:「それは、脱税の発見のためでしょ。」

:「や、やっぱり。税務署が家に押しかけてくるんですね。」

:「そうじゃないわよ。何も悪いことをしてなければ問題ないわよ。」

:「じゃあ、なにを調べているんですか？」

:「例えば、自己資金についても、毎年の収入に比べて大きすぎれば、毎年の収入を脱税しているのではと疑うわけ。」

:「そうか。仮に年収が300万円なのに、自己資金が5,000万円とされていれば、さすがにそんなに貯めるのは難しいですものね。」

:「そういうこと。あるいは、親からこっそり援助を受けているかもしれないし。とにかく、『お尋ね』は慎重に書かないと、思わぬ形で税金が掛かるということもあるのよ。例えば……」

本文（その1）

〈これを知らないと恥ずかしい……〉には、「不動産のプロ」として最低限知っておきたいレベルの内容をまとめています。また、本文を通してダイアローグの新人男性が登場し、吹き出しにあるような**質問やツッコミ**を入れています。

5 税務署からの「お尋ね」への対応

★これを知らないと恥ずかしい……

●税務署からの「お尋ね」には適正に対応しよう

不動産の購入というのは一生に何度もない大きな買い物であるだけに、その購入資金の調達が重要になります。

資金の調達方法には次のようなものがあります。

・自己資金
・他の資産を売却した代金
・銀行からの借入れ
・親族などからの借入れ
・親族などからの資金援助

これらの不動産を購入する際の資金の調達方法について、税務署から問い合わせがくることもあるのです。

ぜ、ぜ、税務署？

税務署からの問い合わせといってもドラマで見るような物々しいものではありません。

「お買いになった資産の買入価額などについてのお尋ね」という質問用紙が届きます。この用紙に、購入物件の詳細、購入者の年齢や年収などとあわせて「購入資金をどのようにして調達したのか」を記載して、税務署に返送をするだけです。

具体的な記載方法は、年収などは会社が発行した源泉徴収票から記入を、購入した不動産の詳細は登記簿謄本や売買契約書から記入をします。

資金の出所については、自己資金であれば、どの銀行の口座に預金してあったものか、借入れであれば、いつ誰から借りたものなのか、他の資産を売却した代金であれば、いつ誰に何を売ったものなのかなど、詳細な記載が求められるのです。

税務署はなんで資金の出所なんかを知りたいんだ？

この「お尋ね」で税務署が目を光らせているのは、二つのことです。

一つは、過去に所得税を脱税した資金で不動産を購入したのではないかということ。

例えば、30歳前後で年収が300万円であり、過去の所得税の申告書をみても大きな収入がないのに、この不動産を購入する際の自己資金が5,000万円もあったというのであれば、ひょっとしたら、それは所得税を脱税した資金なのではないかという疑念がわきます。

確かにそんなお金貯まるわけないものな

要するに、この「お尋ね」によって、その人の年収や年齢、過去の所得税の申告状況と自己資金の金額のバランスを税務署はチェックしているのです。

本文（その2）

〈ここまで知っていると信頼される！〉には、不動産のプロとしてお客様にワンランク上のアドバイスができるような専門知識をまとめています。また、本文を通してダイアローグの先輩女性が登場し、図版でお伝えしたい「Point」を簡潔に説明します。

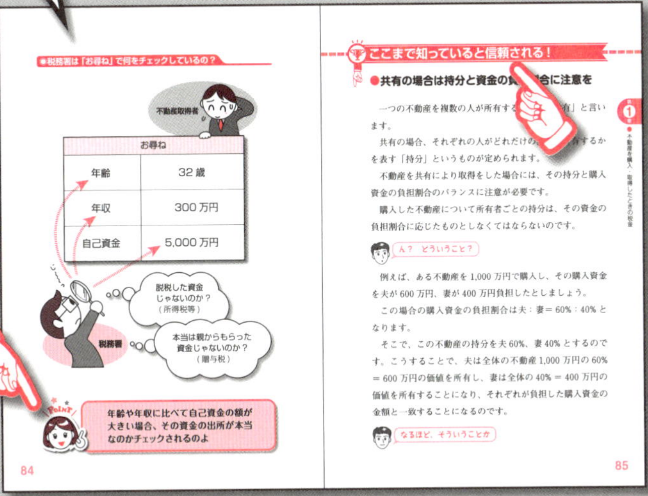

●税務署は「お尋ね」で何をチェックしているの？

不動産取得者

お尋ね	
年齢	32歳
年収	300万円
自己資金	5,000万円

脱税した資金じゃないのか？（所得税等）
本当は親からもらった資金じゃないのか？（贈与税）
税務署
POINT
年齢や年収に比べて自己資金の額が大きい場合、その資金の出所が本当なのかチェックされるのよ
84

ここまで知っていると信頼される！

●共有の場合は持分と資金の負担割合に注意を

一つの不動産を複数の人が所有する…「共有」と言います。

共有の場合、それぞれの人がどれだけの…有するかを表す「持分」というものが定められます。

不動産を共有により取得をした場合には、その持分と購入資金の負担割合のバランスに注意が必要です。

購入した不動産について所有者ごとの持分は、その資金の負担割合に応じたものとしなくてはならないのです。

ん？ どういうこと？

例えば、ある不動産を1,000万円で購入し、その購入資金を夫が600万円、妻が400万円負担したとしましょう。

この場合の購入資金の負担割合は夫：妻＝60%：40%となります。

そこで、この不動産の持分を夫60%、妻40%とするのです。こうすることで、夫は全体の不動産1,000万円の60%＝600万円の価値を所有し、妻は全体の40%＝400万円の価値を所有することになり、それぞれが負担した購入資金の金額と一致することになるのです。

なるほど、そういうことか

第1章 不動産を購入・取得したときの税金
85

参考資料＆まとめ

〈さらに詳しくなるための参考資料〉には、本文中で紹介できなかった細かい税率や、軽減税率などの特例を受ける際の適用要件、申告書の書き方などを紹介しました。〈まとめ〉には、その項目で解説した要点を箇条書きにしています。

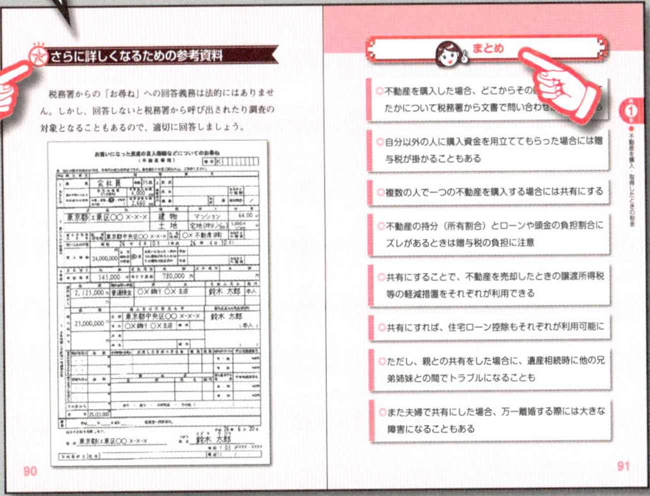

さらに詳しくなるための参考資料

税務署からの「お尋ね」への回答義務は法的にはありません。しかし、回答しないと税務署から呼び出されたり調査の対象となることもあるので、適切に回答しましょう。

お買いになった資産の買入価額などについてのお尋ね

まとめ

- 不動産を購入した場合、どこからその…たかについて税務署から文書で問い合わせ…
- 自分以外の人に購入資金を用立ててもらった場合には贈与税が掛かることもある
- 複数の人で一つの不動産を購入する場合には共有にする
- 不動産の持分（所有割合）とローンや頭金の負担割合にズレがあるときは贈与税の負担に注意
- 共有にすることで、不動産を売却したときの譲渡所得税等の軽減措置をそれぞれが利用できる
- 共有にすれば、住宅ローン控除もそれぞれが利用可能に
- ただし、親との共有をした場合に、遺産相続時に他の兄弟姉妹との間でトラブルになることも
- また夫婦で共有にした場合、万一離婚する際には大きな障害になることもある

90
第1章 不動産を購入・取得したときの税金
91

〈2時間で丸わかり〉

Basics of the real estate tax

不動産の税金の基本を学ぶ

Contents 目次

2 契約書などの作成に対する印紙税

3 不動産登記に対する登録免許税

Contents

8 不動産を賃貸したときの所得税・住民税

Contents

第3章 不動産を譲渡したときの税金

第4章 不動産を相続・贈与したときの税金

13 相続した遺産に対する相続税

14 財産をもらったことに対する贈与税

★本文デザイン・図版作成・イラスト ◎ 齋藤　稔（ジーラム）

第1章

不動産を
購入・取得したときの
税金

●不動産を購入・取得したときの税金

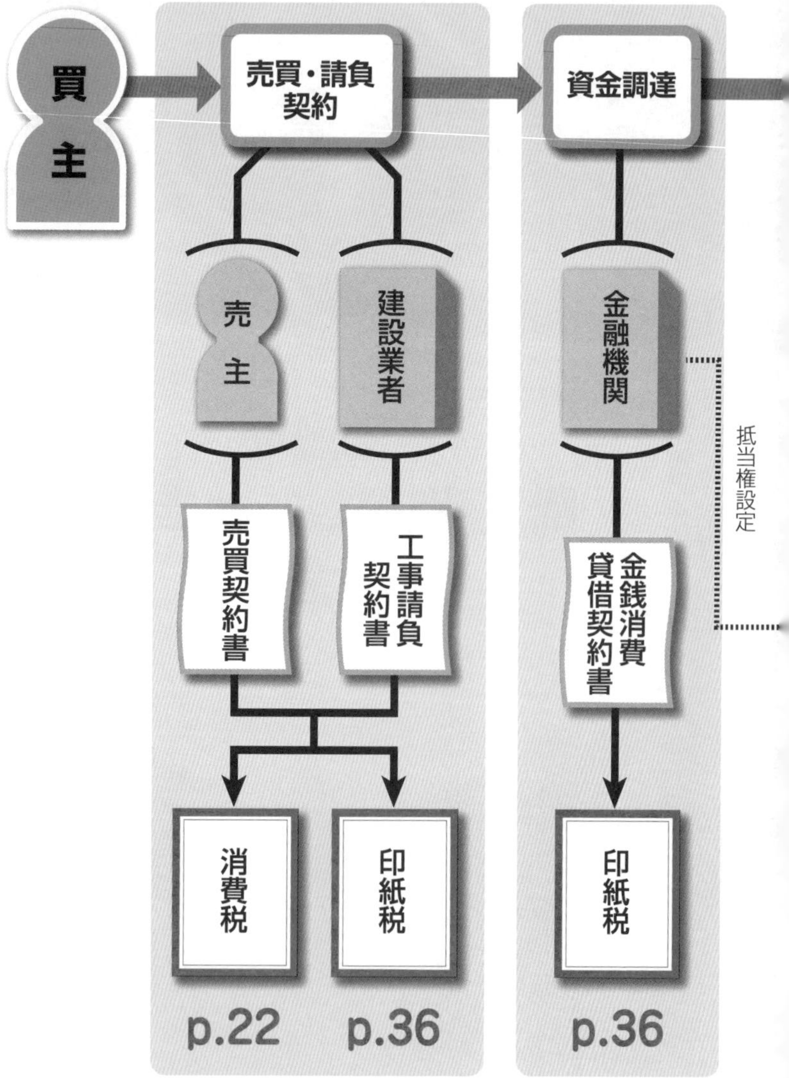

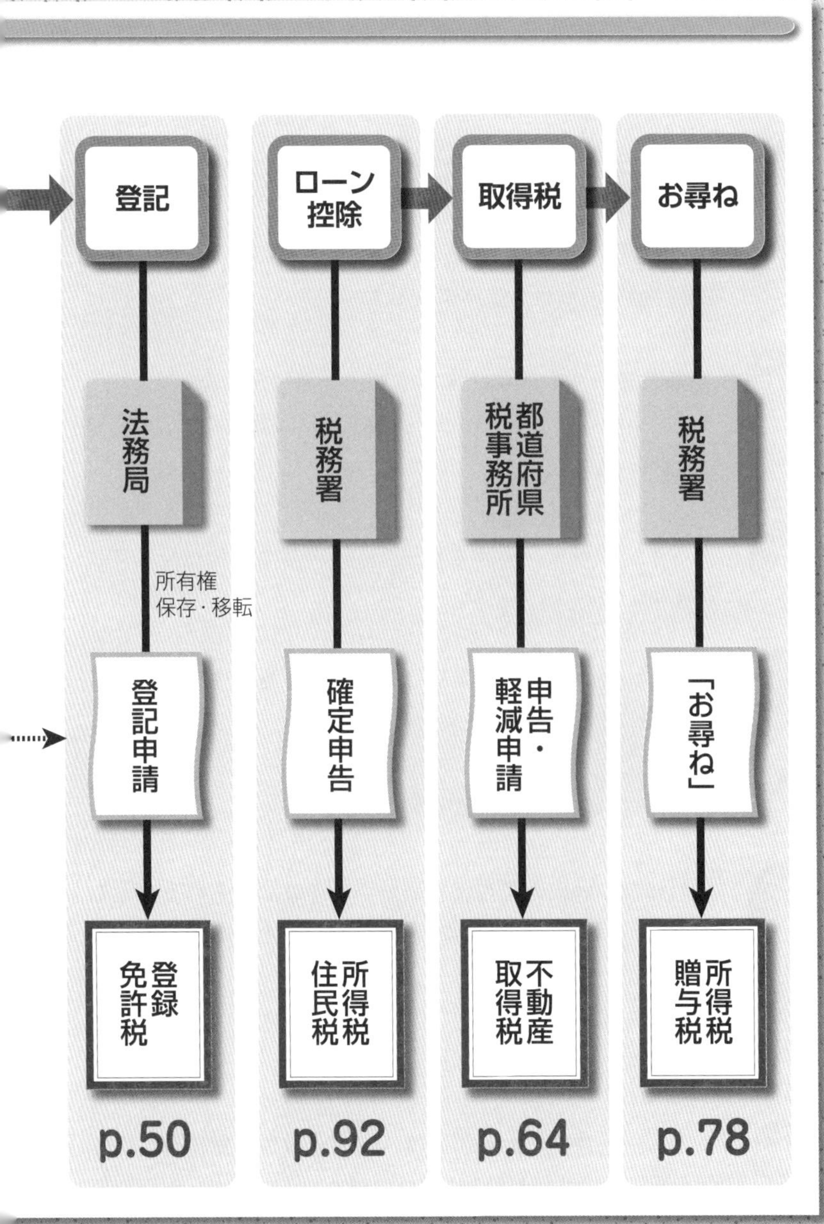
登記
ローン控除
取得税
お尋ね
法務局
税務署
都道府県税事務所
税務署
所有権保存・移転
登記申請
確定申告
申告・軽減申請
「お尋ね」
登録免許税
所得税 住民税
不動産取得税
所得税 贈与税
p.50
p.92
p.64
p.78

①不動産の購入に対する消費税

ダイアローグ

「掛かる」「掛からない」は何を見る!?

:「消費税の増税は、私たちにとって頭の痛い問題よね。」

:「そうですよね。ただでさえ給料が安いのに、これ以上税金を取られたんじゃたまりませんよ。」

:「ああ、そっちの話ね。もちろん、それはそうなんだけど、不動産を取り扱う者にとって、仕事上、消費税の増税の影響は大きいのよ。」

:「えっ？　消費税が増税された分だけ僕たちの給料がカットされたりしないですよね。」

:「まさか。ただ、会社の業績に大きな影響を与えるのは間違いないわね。」

:「やっぱり、給与カットですか。ハア」

:「それはないわ。ただ通常だと、不動産は取引される金額も大きいからそこに掛かる消費税の金額も大きいのよ。」

:「そうですよね。一生の中でも一番金額の大きな買い物だという人は多いでしょうし。」

:「だから、消費税の増税前には、駆け込みで不動産取引の契約は増える一方、増税後にその反動で一気に不動産取引の契

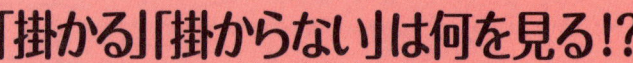

約が減ったりするものなのよ。」

：「なるほど。でも、増税前は駆け込みで売れるから不動産の価格も高くなるけど、増税後は不動産の価格も下がってお買い得っていうこともあったりするんじゃないですかね？」

：「意外と鋭いわね。増税後は不動産の販売価格の値引き幅が大きくなることが多いので、増税前にあわてて買うことが必ずしも得だとはいえないけど、増税される前に不動産を購入したいという人が多いのは確かだわ。」

：「どう考えても、消費税は今後も増税されていくはずだから、そのたびにこっちはバタバタすることになるのかあ。」

：「まあ、増税の有無にかかわらず、不動産取引に掛かる消費税の金額は大きいので、お客様にきちんと消費税の金額とその意味を説明できるようにしておかないとね。」

：「はい。がんばります。」

：「特に不動産取引については、『誰が売るか』『何を売るか』で消費税が掛かったり掛からなかったりするから、そういった違いをきちんと理解することが大切よ。」

：「えっ？　人によって違うってどういうことですか。だったら僕も払わないほうがいいなあ。」

：「いや、だからそういうことじゃなくて……」

1 不動産の購入に対する消費税

★ これを知らないと恥ずかしい……

●消費税の課税対象になるのは「事業」としての取引

私たちは、商品を購入した際やサービスを受けた際に、その代金に消費税額を上乗せして支払うことで、消費税を日々負担しています。

この消費税の対象となるのは、国内において「事業者」が「事業」として対価を得て行う取引です。

では、ここでいう「事業者」とはどういう人でしょうか？

それは、「事業」を営む個人である「個人事業者」と会社である「法人」のことであり、「事業」とは、同じ種類の行為を継続反復して行うことをいいます。

つまり、個人がたまたま何かを販売して代金を受け取ったとしても、それが何度も繰り返されない限り事業ではないため、消費税の課税の対象とはなりません。

一方､法人はそもそも「営利を目的として活動する事業者」であるため、そのすべての行為が事業とされるのです。

不動産取引の消費税はどうなるんだ？

不動産の取引において、建物の譲渡は原則として消費税の課税対象となります。

しかし、建物の譲渡であっても、消費税の課税対象にならない場合があるのです。

具体的にはどうなるんだろう？

(1) 居住用の建物や別荘を売った場合

たとえば、個人が自分の居住用の建物や別荘を譲渡したとしても、それは事業には該当しません。ですから、消費税の課税対象にはなりません。

一方、法人は、そのすべての行為が事業であるため、同じ建物を譲渡しても、消費税の課税対象となります。

つまり、同じ居住用の建物であっても事業者ではない個人から購入する場合には消費税の支払いをしなくても良いのに、事業者である不動産会社から購入する場合や建築業者に建築を依頼した場合などには、消費税を上乗せして支払う必要があるのです。

(2) 事業用、賃貸用の建物を売った場合

個人事業者が自らの事業用として使っていた建物を譲渡した場合には、消費税の課税対象となります。

なお、不動産を賃貸するというのは、「不動産賃貸業を営む個人事業者」であるということです。ですから、その賃貸用の建物を譲渡した場合も、消費税の課税の対象となります。

この場合、賃貸していた建物の用途が居住用であるか、事務所や工場などの事業用であるかは関係がありません。賃料

を得るために貸していた建物であれば、どちらも消費税の課税対象となるのです。

◎建物を譲渡した場合の消費税

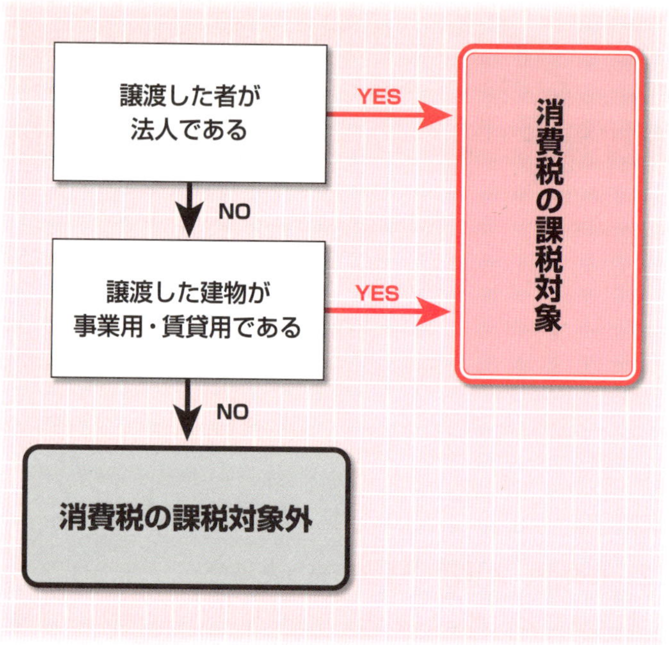

個人が自宅や別荘をたまたま譲渡しても事業にはならないから、消費税の課税対象にはならないの

一方、法人が事業用・賃貸用の建物を譲渡した場合には、そのすべての行為が事業であるため、消費税の課税対象となります。

つまり、建物の譲渡についての消費税は、

- 法人が建物を譲渡した場合は、すべて消費税の課税対象
- 個人が自宅や別荘を譲渡した場合は、消費税の課税対象外
- 個人事業者が自らの事業用（不動産賃貸業を含む）の建物を譲渡した場合は、消費税の課税対象

ということになるのです。

誰が売ったかと、何を売ったかで見ればいいんだな

不動産の取引に消費税が非課税のものがある

ただし、事業者であれば、どんな取引をしても消費税の課税対象になるというわけではありません。

不動産賃貸業などを営む個人事業者でも、自家用車や生活用として使用していた資産を売った場合には、事業として行う取引ではないため、消費税は課税されません。

また、一定の資産の譲渡やサービスの提供について、消費税が非課税となっているものもあります。

どんなものが非課税なんだろう？

例えば、土地については、その譲渡は、消費税が非課税と

されています。

したがって、土地付きの一戸建てやマンションなどの金額に含まれている消費税は、建物部分のみの消費税額なのです。

さて、不動産を購入する際には、不動産会社に対する仲介手数料をはじめとして諸経費を支払う必要があります。

これらの諸経費についても消費税の掛かるものと掛からないものがあります。

諸経費のうち、仲介手数料や住宅ローンの審査手数料、登記をする際の司法書士報酬などは、消費税の課税対象であるため、本体の金額に消費税額分の上乗せをして支払いをする必要があります。

一方、登記の際に支払う税金である登録免許税（→50ページ以降参照）や火災保険の保険料、融資の信用保証料などは、消費税の課税対象ではありません（→33ページ参照）。

ここまで知っていると信頼される！

●土地建物の区分がわからないときは消費税額を活用

土地付きの一戸建てやマンションを購入した場合に、必ずしも土地の部分と建物の部分の金額が契約書に明示されているとは限りません。

しかし、購入した土地の価額と建物の価額というのは、その不動産を賃貸したときの必要経費の額や譲渡したときの利益の計算などをする際には必須のデータとなります。

では、契約書等でそれぞれの価額が表示されていない場合にはどうしたらよいのでしょうか。

実は、契約書に土地・建物のそれぞれの金額が記載されていない場合でも、消費税の金額が記載されていれば、そこから土地・建物の価額を計算することができるのです。

どうやって計算するんだろう？

消費税の課税対象となる商品やサービスの提供を受ける際に支払う消費税の金額は、次の計算式で計算されます。

課税対象となる金額 × 消費税の税率 ＝ 消費税額

土地付きの一戸建てやマンションなどの取引で消費税の課税対象となるのは、建物部分の金額のみです。

つまり、建物部分の本体価額に消費税の税率を掛けた金額が、契約書に記載された消費税額となります。

このことから、次のような計算式で消費税額から建物部分の本体価額を計算することが可能になるわけです。

消費税額 ÷ 消費税の税率 ＝ 建物部分の本体価額

例えば、契約書に記載された消費税額が160万円で、その取引がされたときの消費税の税率が8%であったとするならば、2,000万円（160万円÷8%）が建物の本体価額ということがわかります。

消費税は建物にしか掛からないのですから、消費税額160万円はすべて建物に掛かるものです。つまり、建物の消費税込の価額は2,160万円（2,000万円＋160万円）となります。

さらに、不動産の取引金額の総額から建物部分の価額を差し引くことで、土地部分の価額を計算することができるのです。

●契約書に消費税額が書かれていないときの土地・建物の按分方法

ところが、契約書によっては消費税の金額の記載がない場合もあります。このような場合には、別の「合理的な方法」により不動産の取引総額を按分することで、土地と建物それぞれの取得に要した価額を計算する必要があります。

この合理的な方法の一つが「固定資産税評価額」による按分です。

固定資産税評価額とは、市役所などの自治体が管轄内の不動産について独自に評価をした金額です。公的機関である自治体が評価をした金額なので、その金額に基づく按分方法は合理的なものだといえるでしょう。

この固定資産税評価額は、所有者または所有者から委任状をもらった者が自治体の窓口で「固定資産評価証明書」の交付を受けることで、その金額を知ることができます。

そこに記載された土地と建物のそれぞれの固定資産税評価額をもとにして、不動産の取引総額を按分するのです。

実際にはどうやって金額を計算するんだろう？

まず、土地と建物それぞれの固定資産税評価額を合算します。この合計金額で建物の固定資産税評価額を割ることによって、「不動産全体に占める建物の割合」がわかります。

例えば、土地の固定資産税評価額が600万円、建物の固定資産税評価額が400万円であるマンションであれば、その「不動産全体に占める建物の割合」は40%（400万円÷（600万円+400万円））となります。

不動産全体の取引金額が3,000万円だったとするならば、その40%である1,200万円が建物部分、残りの1,800万円（3,000万円－1,200万円）が土地部分と計算ができるわけです。

土地と建物の購入価額は、特に賃貸不動産オーナーにとって、その後の不動産賃貸業の所得についての税金に影響を与えるなど重要なデータです。

契約書からは土地と建物の購入価額がわからない場合であっても、入手できるデータから合理的に計算できる方法を知っておくと良いでしょう。

◉消費税額から建物の金額を逆算する

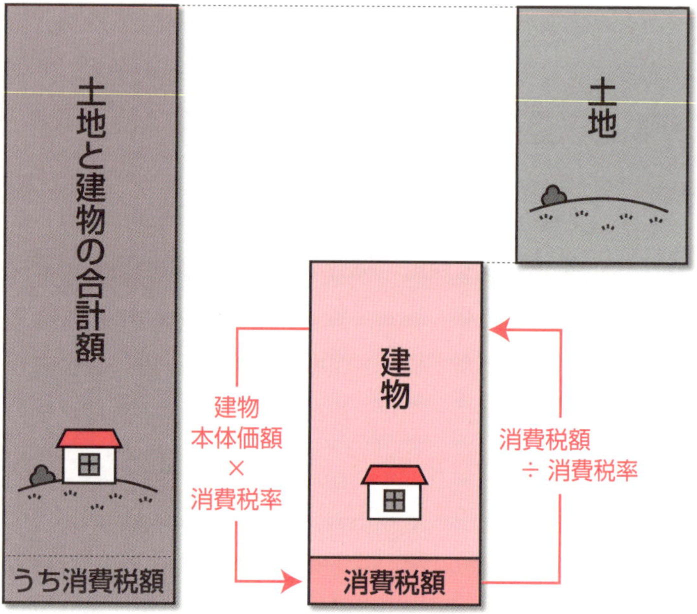

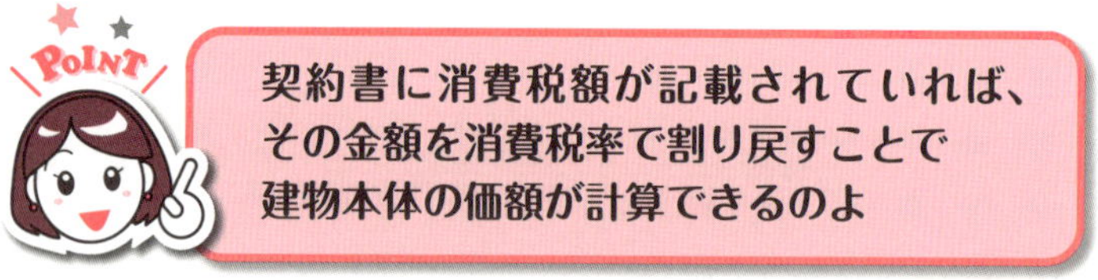

さらに詳しくなるための参考資料

●不動産取得の際の支出で消費税の掛かるもの、掛からないもの

取引内容	課税 ○ 対象外 ×
土地の購入	×
借地権の購入	×
土地の整地費用	○
法人から建物を購入	○
個人事業者から事業用の建物を購入	○
個人から自宅建物を購入	×
建築業者に建物の建築を委託	○
門や塀など外構費用	○
不動産仲介手数料	○
不動産登記の際の司法書士等への報酬	○
不動産登記の際の登録免許税	×
金融機関への支払利息	×
信用保証料・団体信用生命保険の保険料	×
金融機関への融資手数料	○
火災保険や地震保険の保険料	×

● 消費税の税率引き上げ予定

	平成26年 3月31日まで	平成26年 4月1日から	平成29年 4月1日から
消費税率	4%	6.3%	7.8%
地方消費税率	1%	1.7%	2.2%
合計	5%	8%	10%

● 消費税増税にかかる請負工事等の経過措置

平成25年9月30日（新税率施行日の半年前）までの間に締結された工事請負契約については、完成引渡しが平成26年4月1日以降であっても、消費税引き上げ前の旧税率5%（合計）が適用されます。

なお、今後の消費税改正の時点でも、消費税の新税率が適用されるより前の特定の日までに、工事請負契約を締結したものについては、同様の経過措置が適用されることが予想されます。

（注1）平成25年10月1日以降に追加工事や仕様変更によって請負工事代金を変更した場合、増額分は新税率になります。
（注2）平成25年9月30日までに契約されたものであっても、建売住宅やマンションなどの売買については経過措置は適用されませんが、建物の内装、外装、設備などに注文工事がある場合は、経過措置の対象となります。

まとめ

◎サラリーマンなど一般の個人から居住用の建物を購入する場合、消費税は対象外

◎ただし、法人や個人の賃貸不動産オーナーから事業用の建物を購入する場合は、消費税は課税される

◎土地については、誰から購入するかにかかわらず消費税は非課税

◎仲介手数料などの諸経費にも消費税が課税されるものもある

◎マンションで土地と建物の金額が契約書上区分されていない場合でも、消費税の金額を消費税の税率で割り戻すことで、建物本体の価額を算出することができる

◎消費税の金額がわからない場合でも、土地と建物の固定資産税評価額の比から土地と建物の価額を計算する方法がある

②契約書などの作成に対する印紙税

ダイアローグ

数万円の税金を貼って納める!?

:「ねえ、自己資金が500万円、総額3,000万円くらいの予算でマンションを購入したいというお客様がいたら、このリストの中ではどの物件を薦める？」

:「そうですね、このリストの中だとこのお部屋がちょうど3,000万円。ぴったりじゃないですか。」

:「いやいや、たしかにそうだけど、不動産を購入する際には、本体の価額だけではなく、いろいろと諸経費が掛かるのよ。」

:「うちも仲介手数料をいただかなくてはなりませんからね。」

:「それだけじゃないのよ。売買契約やローンの契約をするとき、それに購入した後に税金が掛かることがあるの。」

:「そんなこと、後から言われても困りますよ！」

:「住宅ローンの借入額を減らそうとして、自己資金をギリギリまで物件購入に充ててしまう人も多いものなの。そんなときに予定外の出費があると伝えたとたん、『聞いてないぞ！』ってトラブルになることもあるのよ。」

:「たしかに、後から必要になるお金は事前に概算の金額だけでも知らせておいてほしいですね。この間も、彼女とのデートで、無理して予算目一杯のコースを頼んだのに、後からサービス料というのが追加されていて焦りましたもの。」

：「デートするなら、お金は多めに持っておきなさいよね。」

：「はあ、すみません（苦笑）。で、不動産の購入をするとどんな諸経費が掛かるんですか？」

：「まずは契約書などに貼る印紙かな。領収証に小さな切手のようなものが貼ってあるのを見たことがあるでしょう？」

：「ああ、見たことありますけど。あれって、スタンプシールじゃないんですか？　コンビニみたいに、集めると何かもらえるのかと思ってました（汗）。」

：「そんなはずないでしょう。あれも、『印紙税』という立派な税金なのよ。特に不動産の契約書などには数万円分も貼るケースも多いので、印紙税の金額は不動産を購入する際にお客様にお知らせしておかないとね。」

：「数万円分ですか！　そりゃけっこうな出費だ……」

：「でしょ。収入印紙は、１枚で１万円以上のものもあるから大切に扱わないとね。絶対になくしちゃダメよ。」

：「あんな、スタンプシールが……。」

：「だから、スタンプシールじゃないって！　これは、一から説明しないとダメみたいね。まず印紙税というのは……。」

Basics of the real estate tax

2 契約書などの作成に対する印紙税

★これを知らないと恥ずかしい……

●不動産取引の契約書についての印紙税

不動産を購入する際には、不動産本体の価額だけではなく、それ以外にも付随していろいろな費用が発生します。

どんな費用が付随して掛かるのか、まずは、購入契約の時点で負担が必要になる印紙税からみてみましょう。

領収証とかに貼ってあるあれのこと？

印紙税とは、契約書や領収証など「一定の文書」(「課税文書」といいます) を作成した人が納めなくてはいけない税金のことです。

税金を納めるといっても、金融機関などで振り込みをするのではなく、「収入印紙」を購入し、それらを文書に貼って消印をすることで納税をするのです。

印紙ってどこに売っているんだろう？

印紙は郵便局や「収入印紙売りさばき所」として指定された場所で購入が可能です。はがきなどを取り扱っているコンビニエンスストアの一部でも購入できます。

ただ、コンビニに置いているのは少額のものばかりですので、不動産の売買（譲渡）契約書に貼るような比較的高額の収入印紙は、郵便局で手に入れるのが一番確実です。

不動産の売買契約書は、課税文書に該当するため、原則として契約書を作成した売主、買主ともに自らの契約書に印紙を貼って、消印をすることが必要です。

なお、取引金額が 10 万円を超える不動産の売買契約書については、「軽減税率」として通常の契約書などよりも低い金額の印紙税の負担で良いことになっています（→ 46 ページ「不動産取引に関わる印紙税額表」参照）。

例えば、契約金額 3,000 万円であるマンションの売買契約書には、通常 20,000 円の印紙税の負担が必要であるところ、10,000 円の印紙を貼って消印をすれば良いのです。

一方、マンション等の購入ではなく、自分の土地に建物の建築をする場合もあるでしょう。この場合には、建築の依頼主と施工業者との間で工事請負契約書が交わされます。

この請負契約書も課税文書であるため、建築の依頼主と施工業者それぞれが印紙税を負担する必要があります（→ 46 ページ「不動産取引に関わる印紙税額表」参照）。

請負契約書にも軽減税率はあるのかな？

この請負契約書についても請負金額が 100 万円を超える場合、通常の税率よりも低い軽減税率が定められています。

例えば、2,000万円の工事請負契約書には、通常であれば20,000円のところを、軽減税率により10,000円の印紙を貼って消印をすればよいことになります。

●領収証や借用書についての印紙税

不動産の取引について、売買代金を受け取った側が領収証を発行しますが、一定金額以上の売買代金の領収証にも印紙を貼って消印することが必要になります（→48ページ「売上代金の受領証（領収証）に関わる印紙税額表」参照）。

しかし、個人が自宅を譲渡した代金の受取について発行をする領収証には印紙は不要です。

銀行振込のときはどうなるんだ？

なお、銀行振込でお金のやりとりがされた場合には、その事実が預金通帳で確認されるために、通常は領収証の発行はされませんので、印紙税もかかりません。

さて、不動産の購入に際して、多くの人は銀行でローンを組まれると思います。このローンを組む場合に、金融機関との間でローンの借用書（「金銭消費貸借契約書」といいます）を取り交わします。

この借用書も課税文書であるため、契約書に記載された融資額に応じた金額の印紙を貼り消印をしなくてはなりません

(→ 47 ページ「金銭消費貸借契約書等に関わる印紙税額表」参照)。

例えば、2,000 万円のローンを組む場合、20,000 円の印紙を貼らなくてはならないのです。

さらに、住宅ローンを組む場合には、借用書の印紙だけでなく、融資に対する手数料や保証料という費用を負担することが多いものです。

これらの費用が不動産の購入価額以外にも必要であることと、具体的にどの程度の出費が必要になるのかを事前にきちんと理解しておくことが、その後の資金繰りのプランにとって大切なことなのです。

◎不動産取引で印紙税がかかる主な契約書等

- 不動産売買契約書
- 工事請負契約書
- ローン借用書
- 売買代金の領収証

(ただし、一定金額以下のものや、個人が自宅を譲渡した代金についてのものは対象外)

それぞれ記載された金額に応じた印紙を貼って、きちんと消印をすることをお忘れなく

ここまで知っていると信頼される！

●印紙税額は税込、税抜どっちで判断？

印紙税は、契約書等に記載された金額に応じてそれぞれの課税文書ごとに定められた税額を納めることになります。

しかし、不動産の売買契約書で消費税込の金額と消費税抜の金額では、印紙税の金額が異なることもあります。

では、この契約書等に記載された金額の消費税額はどのように考えれば良いのでしょうか。

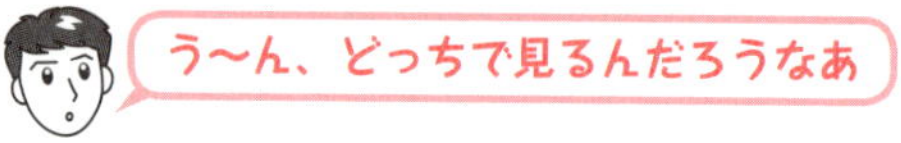

契約書等で消費税の金額を区分できるのであれば、消費税抜の金額によって、消費税の金額が具体的に明示されていないのであれば、消費税込の金額によって印紙税の金額を判断することになるのです。

●印紙税を誤って納めてしまったら？

さて、印紙を貼らないとどうなるのでしょうか。

万一、税務調査で、印紙が貼られていないことが発覚した場合には、本来納付すべきだった税金の３倍のペナルティ（「過怠税」といいます）を負担しなくてなりません。

また、印紙が貼ってあったとしても正しく消印をしていない場合には、本来納付すべき税金と同じ金額の過怠税を別途負担しなくてはならないのです。

では、印紙が貼っていないと、その契約書は無効なのでしょうか？

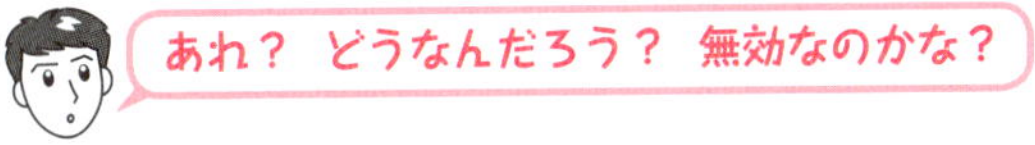

もちろん、そんなことはありません。印紙が貼っていなかったとしてもその契約書は有効です。

ただ、契約書や領収証を多く発行する法人の税務調査では、印紙についてチェックされることが多いので、契約書や領収証等には、きちんと印紙を貼り正しく消印をしておきましょう。

なお、契約書を作成し印紙を貼って消印をしたものの、実は本来の金額以上の印紙であったということもあるでしょう。

その場合には、貼ってしまい消印をしてしまった印紙はどうなるのでしょうか？

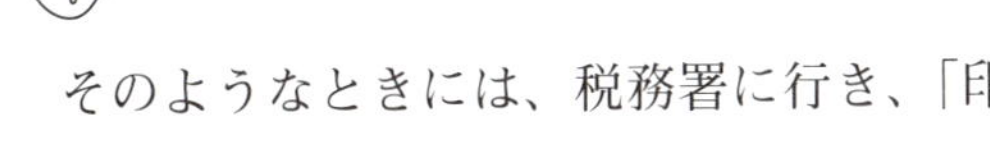
消印しちゃったら他では使えないよなあ

そのようなときには、税務署に行き、「印紙税過誤納確認申請書」を提出することで、印紙の金額の還付を受けることができるのです。

●印紙税節約の裏技がある

不動産の取引の当事者の中には、印紙税の負担をできるだけ少なくしたいという人もいるでしょう。そんなときには、印紙税の負担を最小ですませる方法もあります。

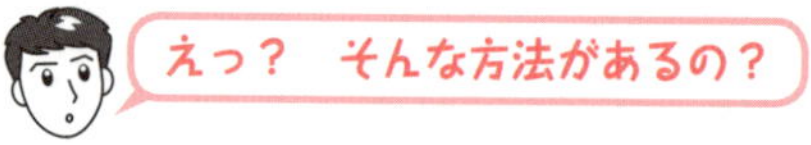

売主、買主、仲介業者がそれぞれ契約書を保持しようとすると、そのすべてに印紙を貼り消印をする必要があります。

しかし、仲介業者が契約書の原本を保有する必要性はそれほどなく、売主も手放した不動産ならば、契約書は原本ではなくても良いと考える人もいます。

その場合には、正式な契約書を一通だけ作成し、この契約書には印紙を貼り消印をします。

一方、コピーであってもその記載内容についての証拠になるため、契約書の原本を必要としない人はそのコピーを所持するのです。

こうして、原本分の印紙税を売主と買主とで折半することにより印紙税の負担を軽減するということが、実務上よく行われています。

しかし、そのコピーに「原本と相違ありません」という記載を加えたり、新たに署名や押印をしたりした場合には、そのコピーは、もはや単なるコピーではなく印紙税の課税文書となるので注意しましょう。

◉契約書のコピーには印紙は不要

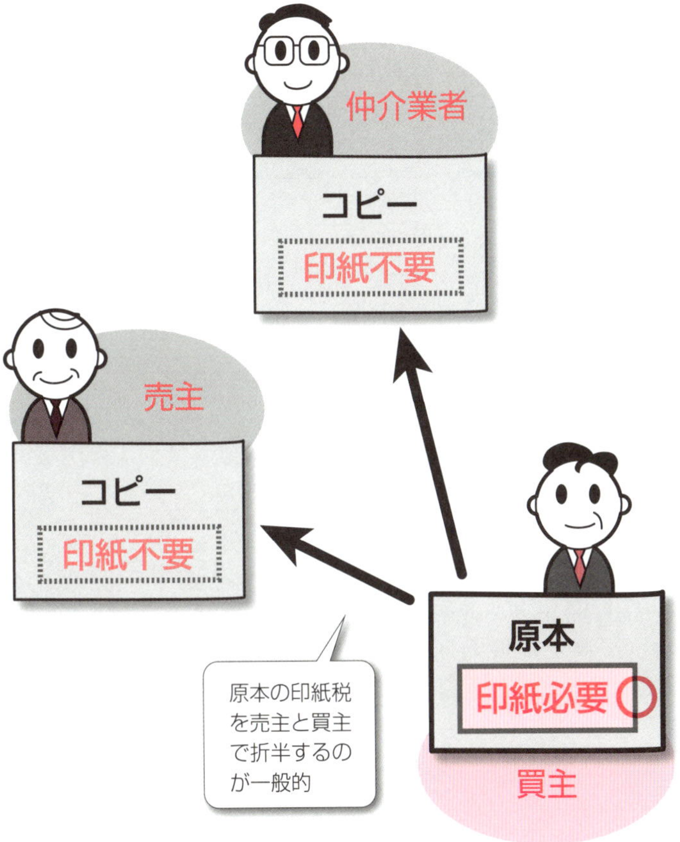

単なるコピーには印紙を改めて貼る必要はないの。でもコピーに「原本と相違がない」などの記載や署名をすると、印紙が必要になるので要注意よ！

さらに詳しくなるための参考資料

●不動産取引に関わる印紙税額表

契約金額		本則	軽減
不動産譲渡契約書	工事請負契約書		
10万円超 50万円以下	100万円超 200万円以下	400円	200円
50万円超 100万円以下	200万円超 300万円以下	1,000円	500円
100万円超 500万円以下	300万円超 500万円以下	2,000円	1,000円
500万円超 1,000万円以下		10,000円	5,000円
1,000万円超 5,000万円以下		20,000円	10,000円
5,000万円超 1億円以下		60,000円	30,000円
1億円超 5億円以下		100,000円	60,000円
5億円超 10億円以下		200,000円	160,000円
10億円超 50億円以下		400,000円	320,000円
50億円超		600,000円	480,000円

（注）不動産譲渡契約書の「1万円以上10万円以下」、工事請負契約書の「1万円以上100万円以下」の印紙税額は 200円となります。また、ともに「1万円未満」については非課税となります。

●金銭消費貸借契約書等に関わる印紙税額表

記載金額	税額
1万円未満	非課税
1万円以上10万円以下	200円
10万円超50万円以下	400円
50万円超100万円以下	1,000円
100万円超500万円以下	2,000円
500万円超1,000万円以下	10,000円
1,000万円超5,000万円以下	20,000円
5,000万円超1億円以下	60,000円
1億円超5億円以下	100,000円
5億円超10億円以下	200,000円
10億円超50億円以下	400,000円
50億円超	600,000円
契約金額の記載のないもの	200円

●売上代金の受領証（領収証）に関わる印紙税額表

記載金額	税額
5 万円未満	非課税
5 万円以上 100 万円以下	200 円
100 万円超 200 万円以下	400 円
200 万円超 300 万円以下	600 円
300 万円超 500 万円以下	1,000 円
500 万円超 1,000 万円以下	2,000 円
1,000 万円超 2,000 万円以下	4,000 円
2,000 万円超 3,000 万円以下	6,000 円
3,000 万円超 5,000 万円以下	10,000 円
5,000 万円超 1 億円以下	20,000 円
1 億円超 2 億円以下	40,000 円
2 億円超 3 億円以下	60,000 円
3 億円超 5 億円以下	100,000 円
5 億円超 10 億円以下	150,000 円
10 億円超	200,000 円
受取金額の記載のないもの	200 円

（注）個人の自宅を譲渡した代金の領収証など営業に関しないものは非課税となります。

まとめ

◎不動産取引や工事請負の契約書には、取引価額などに応じた金額の印紙を貼って消印をする必要がある

◎取引金額が 10 万円を超える不動産売買契約書、請負金額が 100 万円を超える工事請負契約書には印紙税の軽減措置がある

◎ローン契約の際の借用書にも融資金額に応じた印紙を貼って消印をする必要がある

◎代金を受け取った際に発行される領収証にも金額に応じた印紙を貼って消印をする必要がある。ただし、銀行振り込みで受け取った場合には、通常領収証は発行しない

◎誤って貼って消印までしてしまった印紙であっても、税務署で手続きをすれば印紙税は還付される

◎印紙税が必要なのは契約書の原本のみ。コピーには必要ない。コピーでもよい人にはコピーを渡すことで印紙税の負担を軽減することも可能

③不動産登記に対する登録免許税

ダイアローグ

自分の不動産だと言うのにも税金が

:「不動産を取得した場合には、登記をするから、そのためにどれくらいの費用が掛かるのか、お客様に伝えておかないとね。」

:「トウキ？　それって『ろくろ』を回して作る壺みたいなやつですよね。」

:「はぁ？　それは陶器。私が言っている登記とは、『この不動産は自分のものだ』と周りに宣言するための登録のことよ。」

:「へえ、そういうものがあるんですね。」

:「登記にはいくつかの種類があるの。まずは、『表題登記』といって、不動産の現況を表す登記のこと。登記は、『登記簿』という誰でも見られるようにした帳簿にされるんだけど、その表紙みたいなものがこの表題登記ね。」

:「最初に登記簿の表紙を作るわけですね。」

:「そうよ。新築した建物などを取得した人は、この表題登記を、取得してから１カ月以内にしないといけないの。」

:「しないといけないということは、義務なんですね。」

:「そう。通常、これは土地家屋調査士さんという専門家に依頼することになるわ。一般的な一戸建ての表題登記をしてもらうのにだいたい7万円から10万円は掛かるわね。」

:「結構高いんですね。」

:「自分でやってもいいんだろうけど、詳細な図面などが必要になったりするので、餅は餅屋。プロに任せたほうがいいわね。」

:「なるほど、ほかにはどんな登記があるんです？」

:「それが、保存登記や移転登記というもの。『この不動産は私のものですよ』という宣言をする登記のことね。こちらも、自分でできないことはないけど、通常は司法書士さんという専門家にお願いするの。」

:「ということは、また費用が掛かると。」

:「そうね。こちらも不動産の取引価額によって報酬は変わるけど、一般的な一戸建ての登記の場合で、やっぱり7万円から10万円くらいにはなるかな。」

:「そんなに掛かるんですか。」

:「いや、これだけじゃないわ。保存登記や移転登記には、『登録免許税』という税金も掛かるのよ。」

:「登記にまで税金？　もう勘弁してくださいよ……」

3 不動産登記に対する登録免許税

★これを知らないと恥ずかしい……

●登録免許税ってどんな税金？

不動産の売買などの取引をしたとしても、その不動産が誰のものになったのかというのは当事者でなくてはわかりません。

そこで、土地や建物について、その所在地や面積、所有者の住所・氏名などを公の帳簿（「登記簿」といいます）に記載し、権利関係などを誰もがわかるようにすることを「登記」といいます。

登記された情報は、法務局で「全部事項証明書」等を入手することで誰でも確認ができます。この一定の登記をする際に掛かる税金を「登録免許税」といいます。

では、不動産の取引について、登記が必要になる主な場面を一つひとつみていくことにしましょう。

（1）新築の建物を取得した場合

新築の建物を取得した場合にする登記には、大きくわけて二種類のものがあります。

一つは、「表題登記」というものです。これは、新築の建物について、建物の所在や構造、面積といった情報を登記するものです。

いわば建物の登記簿の表紙を作成するようなものといって良いでしょう。

この表題登記は、新築の建物を取得した人が、その取得後一カ月以内に必ず行う必要があり、怠ると法律違反になり罰金をとられることもあるので注意が必要です。

ただし、実際には、この表題登記をしていない「未登記建物」というものも存在します。

なお、この表題登記をするためには、登録免許税は掛かりませんが、その手続きに際し、詳細な図面などの添付が必要なため、土地家屋調査士という専門家に手続きを依頼することがほとんどです。

登録免許税はなくても手続きの報酬は掛かるのか

もう一つは、建物の最初の所有者を確認する「所有権保存登記」です。こちらは、表題登記と異なり、登記をするかしないかは所有者の任意です。

しかし、自分の権利を明らかにするためにもこの登記はするのが一般的です。

なお、所有権保存登記をする際には、一定の登録免許税が掛かります。

ですから、所有権保存登記に掛かる税金や費用は、あらかじめ必要なものとして見込んでおくとよいでしょう。

(2) 土地や中古の建物を取得した場合

土地や中古の建物など、既に誰かが所有していた不動産の所有者が変わる場合には「所有権移転登記」というものをします。

こちらも所有権保存登記と同様に登記をするかどうかは所有者の任意です。しかし、後述する融資についての抵当権設定や自分の権利を明らかにするためにも、この登記は行われるのが一般的です。

なお、不動産の取得には、購入した場合だけではなく、相続や贈与により取得した場合も含まれます。

その「取得した原因」に応じた登録免許税の税率が定められており、登記の際には、それぞれ必要な登録免許税が掛かるのです。

(3) 融資を受けて抵当権を設定する場合

融資をする銀行などは、その融資が万一回収できない場合に備えて、不動産を担保に取ることがあります。返済ができなくなった場合には、その不動産を売却しその代金を優先的に返済に充ててもらうようにするのです。

この担保となった物件の売却代金から優先的に返済を受け

る権利のことを「抵当権」といいます。

抵当権を土地や建物に設定する際には、登記簿にその旨の記載がされますが、その登記にも登録免許税が掛かります。

この抵当権を設定する費用については銀行などが負担するのではないかとも思えますが、実際には融資を受ける人がその費用を負担することになっています。

●登録免許税の金額と納税方法

登録免許税の金額はそれぞれ下記の算式で計算されます。

不動産の取得：固定資産税評価額 × 税率
抵当権の設定：抵当権の設定金額 × 税率

この税率は、新築建物の所有権保存登記については4/1,000（0.4％）であり、所有権移転登記については購入の場合、原則 20/1,000（2％）、贈与の場合は 20/1,000（2％）、相続の場合には 4/1,000（0.4％）とその「取得した原因ごと」に定められています。

また、抵当権設定についての税率は 4/1,000（0.4％）です（→ 60ページ「不動産取引についての登録免許税額表」参照）。

なお、住宅に関しては所有権保存・移転登記や抵当権設定登記について、それぞれ登録免許税の軽減措置があり、その負担は住宅以外の建物に比べて大幅に軽減されます（→61ページ「主な軽減税率と適用要件」参照）。

あれっ？ 建てたばかりの建物の固定資産税評価額は？

新築住宅の保存登記の場合、その時点では、まだ固定資産税の評価額が明らかになっていません。

この場合の登録免許税の算出の際には、登記官が決めた価額を使うことになります。

具体的には、建物の利用目的や構造などによって予め基準となる金額が定められた「新築建物課税標準価格認定基準表」（→62ページ参照）を使って算定した金額が固定資産税評価額の代わりになるのです。

登録免許税は、登記を受けるときまでに金融機関窓口等で現金で納付し、その領収証書を登記申請書に貼り付け、添付書類とともに法務局に提出するのが原則ですが、税額が3万円以下の場合にはその分の印紙を購入し申請書に貼り付けることも認められています。ただ、実務上は3万円を超える場合でも印紙を貼る納付方法が一般的です。

いずれにしても、登記には思いのほか多額のお金がかかるので、事前にきちんと準備をしておきたいものです。

◎不動産についての主な登記の種類

	時期	登記する内容	登録免許税	登記の義務
表題登記	建物を新築してから1カ月以内	・所在地 ・種類 ・構造 ・床面積 ・建築年月日 など	なし	義務
保存登記（自分がはじめて） **移転登記**（誰かから変更）	自分のものであることを他人に明らかにしたいとき	・所有権者名 ・登記の原因 ・その年月日	あり	任意
抵当権設定登記	抵当権を設定するとき	・登記の原因とその日付（債権額など） ・抵当権者名	あり	任意

保存登記や移転登記は任意とはいえ、それをしていないと抵当権設定ができないので、ローンで購入するなら、まず登記はしないとね

ここまで知っていると信頼される！

●住宅用家屋には軽減措置がある

個人が一定の要件（→61ページ「主な軽減税率と適用要件」参照）を満たす住宅を取得した場合には、新築住宅、中古住宅についてそれぞれ登録免許税が軽減され、そのローンについての抵当権の設定についても軽減措置があります。

土地にも軽減措置はあるのかな？

一方、土地については、住宅用であるかどうかにかかわらず、売買の移転登記の登録免許税が本来2.0％のところ、1.5％に軽減されています。＊1

また、一定の基準を満たした「認定長期優良住宅」や「認定低炭素住宅」については、さらに軽減措置が設けられています。

＊1 平成27年3月1日までの登記申請が対象です。

●登記を司法書士に頼めば報酬の支払いが必要

この登記の手続きは、登記をする人自身で行うこともできます。ただし、そのためには正しい登記についての知識を身に付け法務局（登記所）に何度も足を運ぶ必要があるでしょう。

どうしても登記に掛かる費用を削減したいのであれば、自分で登記をすることも良いとは思いますが、「不動産についての登記をする場合には、別途司法書士報酬が掛かる」と考えるほうが現実的だといえます。

司法書士報酬ってどれくらい掛かるんだろうか？

司法書士報酬はその司法書士ごとにバラつきがありますが、目安としては所有権保存登記で 2 万円から 3 万円、売買による所有権移転登記の場合で 5 万円前後、抵当権設定登記で 5 万円前後といったところです。

もちろん、登記の対象となる金額により異なりますが、一般的な住宅をローンで購入した場合にはおおむね合計で 10 万円から 15 万円程度の司法書士報酬が掛かると考えておいたほうが良いでしょう。

さらに詳しくなるための参考資料

●不動産取引についての登録免許税額表

内容	課税標準	税率
建物の所有権の保存	不動産の価額	4/1,000
建物の売買または競売による所有権の移転	不動産の価額	20/1,000
建物の相続または法人の合併等による所有権の移転	不動産の価額	4/1,000
建物のその他の所有権の移転（贈与・交換等）	不動産の価額	20/1,000
土地の売買による所有権移転登記	不動産の価額	20/1,000
土地の相続または法人の合併等による移転登記	不動産の価額	4/1,000
土地のその他の所有権の移転（贈与・交換等）	不動産の価額	20/1,000
抵当権の設定登記	債権金額等	4/1,000

●主な軽減税率と適用要件

内容	軽減税率	適用要件 （表の下の説明文参照）
新築住宅の 所有権保存登記	1.5/1,000	1.2.3
中古住宅の 所有権移転登記	3/1,000	1.2.3.4
住宅取得資金貸付の 抵当権設定登記	1/1,000	新築 1.2.3 中古 1.2.3.4
認定長期優良住宅の 所有権保存登記	1/1,000	1.2.3.5
認定長期優良住宅の 所有権移転登記	1/1,000 （戸建の場合 2/1,000）	1.2.3.5
認定低炭素住宅の 所有権保存登記・ 所有権移転登記	1/1,000	1.2.3.6
土地の売買による 所有権移転登記	15/1,000	すべての土地について H27.3.31まで

《適用要件》

1. 自己の居住用であること
2. 新築または取得後１年以内の登記であること
3. 床面積が 50㎡以上であること
4. 築年数が木造等 20 年以内、鉄筋コンクリート造等 25 年以内であること。ただし一定の基準を満たした耐震住宅については築年数を問わない

5. 平成 28 年 3 月 31 日までに登記した認定長期優良住宅であること

6. 平成 28 年 3 月 31 日までに登記した認定低炭素住宅であること

●新築建物課税標準価格認定基準表（東京都の場合、一部抜粋）

基準年度：平成 25 年度（1㎡単価・単位：円）

種類／構造	木造	軽量鉄骨造	鉄骨鉄筋コンクリート造
居宅	86,000	97,000	154,000
共同住宅	85,000	97,000	154,000
店舗・事務所等	71,000	60,000	146,000
工場・倉庫等	37,000	44,000	102,000
旅館・料亭等	71,000	81,000	182,000

まとめ

◎新築の家屋を所有した人は、その購入後１カ月以内に表題登記を行わなければならない。その際の登録免許税は不要

◎新築の家屋などに最初の所有者を表す登記が所有権保存登記であり、この登記には登録免許税がかかる

◎所有者が変わる場合の登記が所有権移転登記で、その原因によってそれぞれの登録免許税がかかる

◎ローンで購入する場合、抵当権の設定にも登録免許税がかかる

◎一定の住宅用家屋については、登録免許税の軽減措置がある

◎登記手続きは自分でもできるが、司法書士等の専門家に依頼したほうがベター。その費用も見込んでおく

④不動産取得に対する不動産取得税

ダイアローグ

税金は忘れた頃にもやってくる!?

:「不動産の取引をするには、印紙税や登録免許税、登記の手数料などいろいろお金が掛かることがわかりました。」

:「そうでしょ。だから、どれだけの金額が掛かるかは事前にお客様に説明をしておく必要があるの。」

:「はい。僕だったら、これだけの金額が必要なことを後で言われたら、生活できなくなっちゃいますよ。」

:「そういうお金に余裕のない不動産の買い方は絶対にしちゃダメだけどね。と言うのも、不動産を取得すると忘れた頃にやってくる税金があるのよ。」

:「なんですか、その忘れた頃にやってくる税金って。すごく怖いんですけど。」

:「不動産取得税っていうの。これは、不動産を取得したときに限りその取得した価額に応じて掛かる税金なの。この場合の取得というのは、お金を払ったかどうかは関係がないのよ。」

:「それってどういうことですか？」

:「お金を支払って不動産を購入をした場合だけじゃなくて、交換をした場合や贈与をされた場合にも掛かる税金なの。ただし、相続によって財産が引き継がれた場合には、不動産取得税は掛からないわ。」

：「そうなんですね。で、忘れた頃に掛かってくるというのはどういうことなんですか？」

：「契約書に貼り付ける印紙税や登記に必要な登録免許税は、その時点ですぐに掛かるでしょ。」

：「はい、そういうことですよね。」

：「でも、不動産取得税は、土地だけや中古の住宅だと取得して3カ月から半年くらいして、さらに新築住宅だと取得した翌年の4月以降に納付書が送られてくるの。」

：「翌年の4月以降って、家を建ててから1年以上もたってから税金が掛かることもあるっていうことですか。」

：「そうよ。だから、そのときになってあわてないように、ちゃんとその税金分のお金を用意しておくようにお客様に伝えておかないと。」

：「僕だったら、用意してあっても、1年以上も使わずにいる自信がないですけどね。特に、『限定』っていう言葉を見ると、我慢できずにすぐ買っちゃうんですよね。」

：「もういいわよ（苦笑）。じゃ、不動産取得税の基本的な仕組みの説明から始めるわね。」

4 不動産取得に対する不動産取得税

★これを知らないと恥ずかしい……

●不動産取得税は一度だけ課税される

不動産取得税とは、有償・無償を問わず、土地や家屋を取得した際に課税される税金です。

ただ、「不動産を取得した際」といっても、実際に納税の通知書が届くのは、その不動産を取得してから数カ月後、特に新築の家屋であれば取得した翌年4月以降と時間が経ってからのことです。

不動産取得税の納税通知書は忘れた頃にやってくるので、その支払いについて事前に準備をしておかないと、思わぬ出費に家計や資金繰りが圧迫されることにもなります。そんな思いをしないためにも、不動産取得税についてきちんと準備をしておきたいものです。

不動産取得税については原則として、その取得した不動産の所在地を管轄する都道府県税事務所に自ら申告することになります。

しかし、実務上は都道府県税事務所から送付されてきた書類に必要事項を記入して返送することで申告とすることが多いようです。

この不動産取得税の対象となる「不動産」とは土地と家屋のことです。土地と家屋であれば、その種類や用途は関係がなく課税の対象となります。

また、有償か無償かも問わないので、交換や贈与による取得も対象になります。ただし、相続による取得については、原則非課税です。

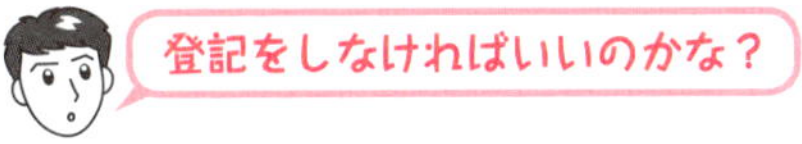

ちなみに、登記の有無も問いません。不動産取得税の課税を逃れるために登記をしないというのは意味のないことなのです。

●不動産取得税の計算式

不動産取得税の税額は次の計算式で計算されます。

不動産取得税 ＝ 課税標準（固定資産税評価額）× 税率

不動産取得税の課税標準は、不動産を購入した金額ではなく、固定資産税評価額です。ただし、課税標準額が一定の金額未満の場合には、不動産取得税が課税されない「免税点」

があります。

固定資産税評価額とは、既に申し上げたように、自治体の窓口で「固定資産評価証明書」の交付を受けることで確認できます。

しかし、新築の家屋では、まだその固定資産税評価額は算出されていません。

じゃあ、どうやって税額を試算すればいいの？

固定資産税評価額のおよその目安は、家屋であれば購入価額の6割程度の金額になると思われます。そこから、概算の固定資産税評価額を算出し、支払うべき不動産取得税の金額を試算してください。

なお、平成27年3月31日までに取得した「宅地など」については、固定資産税評価額を2分の1にした金額が課税標準額になります。

この「宅地など」にはマンションの「敷地利用権」も含まれます。マンションの価格は、家屋の部分と土地の利用権に相当する敷地利用権部分から成っており、この敷地利用権についても、宅地として課税標準額が2分の1に軽減されるということです。

税率はどれくらいなんだろう？

税率は原則として4％です。ただし、平成27年3月31日までの取得であれば土地と住宅家屋（賃貸住宅も含む）については、3％に軽減されています。

さらに、マイホームや賃貸住宅といった住宅用家屋やその敷地については、税率以外にも特別な軽減措置がいくつもあります。

結果的に、住宅用の不動産と住宅用以外の不動産では、不動産取得税の金額に大きな違いがあるのです（→ 74 ～ 76 ページ参照）。

◎不動産取得税が課税される場合、課税されない場合

不動産取得税の有無	取得の原因
課税アリ	・売買 ・贈与 ・建築 など
課税ナシ	・相続
	・課税の対象となる取得であっても対象となる金額が一定金額（免税点）未満のとき

不動産取得税は有償・無償の違いや登記の有無にかかわらず課税されるの。ただし、相続は例外なのよ

ここまで知っていると信頼される！

●住宅やその敷地には不動産取得税の軽減措置が

住宅用の家屋とその敷地については、生活に必須のものであるという配慮から、不動産取得税についていくつかの税額軽減措置があります。

どんな軽減措置かと言うと、家屋については課税標準額が減額され、その敷地である土地については一定の税額控除が受けられるのです。

なお、家屋は、新築住宅なのか中古住宅なのかによっても軽減が受けられる条件や軽減内容が異なってきます。

どれくらい税金が安くなるんだろう

まずは、住宅を新築した場合や新築住宅を購入した場合の家屋の軽減措置についてみていきましょう。

新築未使用の住宅の場合、一定の要件（→ 74 ページの「新築未使用住宅の不動産取得税住宅軽減要件一覧」参照）を満たせば課税標準額から 1,200 万円を控除できます。

つまり、家屋の固定資産税評価額が 1,200 万円までの新築住宅であれば家屋については不動産取得税がかかりません。

言いかえると、新築家屋の固定資産税評価額が購入価額の 6 割程度だとすれば、購入価額が約 2,000 万円（1,200 万円 ÷ 60%）までの新築の家屋には不動産取得税は課税されないということです。

中古住宅についても一定の要件を満たせば、課税標準額から控除が受けられます。その控除額は新築の時期によって異なり、最高で1,200万円です（→76ページ「中古住宅の不動産取得税住宅用軽減要件及び控除額一覧」参照）。

土地はどうなんだろう？

一方、住宅とともに取得した敷地についても家屋が新築住宅の軽減措置を受けられる場合で、かつ一定の条件（→75ページ「新築未使用住宅の敷地の不動産取得税住宅軽減要件一覧」参照）を満たせば税額の控除が受けられます。

控除額は次のいずれか多い金額になります。

- 45,000円
- 1㎡当たりの課税標準額＊1×住宅の床面積×2＊2×3％

＊1 平成27年3月31日までに取得した宅地等の場合1/2にした後の金額
＊2 住宅の床面積の2倍の上限は一戸当たり200㎡となります

中古住宅の敷地については、住宅用家屋の課税標準の軽減措置の要件を満たす中古住宅と同時に、もしくはその前後一年以内に取得した敷地であれば、新築住宅の場合の土地の軽減と同じ税額控除が受けられます。

自宅じゃなくて賃貸用でもいいのかな？

なお、これらの軽減措置は、新築の場合、構造が居住用であれば賃貸用であっても住宅とその敷地に適用がされます。
しかし、中古の場合、自らが居住する住宅とその敷地にしか適用されないので注意が必要です。

●軽減措置を受けるには自ら申請を

不動産取得税は自ら申告するのが原則ですが、仮に申告し忘れても自治体が税額を計算して納税通知書を送ってきます。

しかし、住宅やその敷地についての軽減措置を受けたいのであれば、不動産の取得者自らが60日以内に、「不動産取得税減額申告書」を提出する必要があるのです。
その際には、売買契約書のほか様々な書類の添付も必要です。自治体ごとに添付する書類が異なることがありますので、事前に都道府県税事務所の担当部署に問い合わせをし、申告手続きをスムーズに行えるようにしたいものです。

◎不動産取得税減額申告書 見本

東京都

都税条例施行規則
第41号様式（甲）（条例第45条、第48条等関係）

（提出用）

東京都 江東 都税事務所長 ~~支庁長~~ 宛

平成26年 6月20日

受付印

不動産取得者	〒 ○○○−○○○○
住所	東京都江東区○○ ×−×−×
氏名（名称）	鈴木《すずき》太郎《たろう》 （印：鈴木）
電話番号	03-××××-××××

不動産取得税申告書
不動産取得税 〔減額（適用）・課税標準の特例適用〕 申告書

受付番号	123456××××
納税通知書番号	

次のとおり別紙書類を添付して申告します。

土地

所在・地番	地積（㎡）	地目	取得原因
東京都江東区○○ ×−×−×	73.20	（宅地）・雑種地・その他（ ）	（売買）・交換・その他（ ）

前所有者	
住所	〒○○○−○○○○ 東京都江東区○○ ×−×−×
氏名（名称）	江東 一郎
電話番号	03-××××-××××

取得年月日	契約書の有無	土地の譲渡年月日
平成26年 4月 10日	（有）・無	平成 年 月 日

譲渡（する場合）の相手方	
住所	〒
氏名（名称）	
電話番号	

家屋

所在地	家屋番号	取得原因
東京都江東区○○ ×−×−×	○○○−×−×	新築・（売買）・交換・贈与・その他（ ）

構造	床面積合計	住宅部分の床面積	特例適用住宅の戸数
（木造）・鉄骨・鉄筋・鉄骨筋・軽量鉄骨・その他（ ）	93.04 ㎡	93.04 ㎡	1 戸

着工予定年月日	新築（完成予定）年月日	用途
平成 年 月 日	（平成）・昭和 15年 10月 3日	（住宅）（（自己居住用）・賃貸用）・事務所・店舗・倉庫・その他（ ）

登記年月日	取得（予定）年月日
平成26年 4月 30日	平成26年 4月 10日

前所有者	
住所	〒○○○−○○○○ 東京都江東区○○ ×−×−×
氏名（名称）	江東 一郎
電話番号	03-××××-××××

住宅の新築（予定）者	
住所	〒
氏名（名称）	
電話番号	

摘要

筆頭者 鈴木太郎 持分 1/2
共有者 鈴木花子 持分 1/2

※必要書類その他ご不明の点につきましては都税事務所・支庁におたずねください。

控に受付印が必要な方は、切手を貼った返信用封筒を添えて提出してください（2枚目（控）の裏面もご覧ください。）。

売買契約書の写しなど取得の事実を証する書類とともに、都道府県税事務所に提出します

さらに詳しくなるための参考資料

●不動産取得税の免税点（1 物件ごとに判定）

取引内容	免税点
土地を取得したとき	10 万円
家屋を建築（新築・増改築）により取得したとき	23 万円
家屋を売買・贈与などにより取得したとき	12 万円

●不動産取得税の税率

不動産を取得した日	土地	家屋	
		住宅	その他
平成 20 年 4 月 1 日～平成 27 年 3 月 31 日	3%	3%	4%
平成 27 年 4 月 1 日以降	4%	4%	4%

●新築未使用住宅の不動産取得税住宅軽減要件一覧

面積要件	下限	上限
原則	50 ㎡以上	240 ㎡以下
賃貸用のアパートやマンション等	40 ㎡以上	240 ㎡以下

（注 1）マンション等の場合、構造上独立した一住戸ごとの床面積により、共用部分は持分に応じた面積を加算して判定されます。

（注2）平成 28 年 3 月 31 日までに新築された認定長期優良住宅の場合には、控除額が 1,200 万円から 1,300 万円に拡大されます。

●新築未使用住宅の敷地の不動産取得税住宅軽減要件一覧

土地・建物取得時期	適用要件
住宅と土地を同時に取得した場合 （いわゆる建売やマンション購入のケース）	その建物が 新築後１年以内の取得であること
土地を先に取得して 後で住宅を建てた場合 （一般的な戸建て注文住宅のケース）	（注２） 土地を取得してから３年以内に、 その土地の上に住宅を新築すること
土地を住宅より後に取得した場合 （例えば借地に家を新築してその後底地を買い取ったケース）	新築後１年以内に購入した 土地であること

（注１）この適用の前提として、住宅と土地を購入するのが同一人物であるのが条件。
（注２）上記で３年とあるのは土地の取得が平成28年３月31日までの場合で原則は２年。また、この期間内で法律で定めるやむを得ない事情があれば４年。

●中古住宅の不動産取得税住宅軽減要件一覧

適用要件	内容
居住要件	個人が自己の居住用に取得（賃貸用は適用がない）
床面積	住宅部分の床面積が 50㎡以上 240㎡以下
築年数	新築後 20 年以内、耐火構造建物の場合 25 年以内であること（一定の耐震基準を満たしていれば築年数の条件はありません）

●中古住宅の不動産取得税住宅軽減控除額一覧（一部抜粋）

新築された日	控除額
平成 9 年 4 月 1 日〜	1,200 万円
平成元年 4 月 1 日〜平成 9 年 3 月 31 日	1,000 万円
昭和 60 年 7 月 1 日〜平成元年 3 月 31 日	450 万円
昭和 56 年 7 月 1 日〜昭和 60 年 6 月 30 日	420 万円
昭和 51 年 1 月 1 日〜昭和 56 年 6 月 30 日	350 万円

まとめ

◎不動産を取得した場合には、固定資産税評価額をベースに計算された不動産取得税が掛かる

◎不動産取得税の納税通知書が送付されてくるのは、不動産を取得してから早くても数カ月後

◎贈与により取得した場合でも不動産取得税はかかるが、相続により取得をした場合には原則非課税

◎土地、家屋ともにそれぞれ新築、中古に応じて一定の住宅については、不動産取得税の軽減措置がある

◎新築であれば、賃貸用も不動産取得税の軽減措置の対象。中古であれば賃貸用は対象外

◎軽減措置を受けるには自ら必要資料を揃えて減額申告書を提出する必要がある

⑤税務署からの「お尋ね」への対応

ダイアローグ

家を買ったら召集令状が届いた!?

:「大変です！　以前、不動産をご購入いただいたお客様のところに、税務署から『召集令状』が届いたそうです！」

:「召集令状って、ずいぶん古いこというわね。どれどれ見せてみて。」

:「こ、これです。」

:「ああ、資金の出所の『お尋ね』じゃない。」

:「な、なんですか、その『お尋ね』って」

:「これは、お客様が不動産を購入した資金をどうやって賄ったのかという質問書よ。別に税務署に呼び出されているわけじゃないわよ。」

:「なんだ、そうなんですね。お客様も『税務署から通知がきた』と驚かれているし、私もパニックになってしまいましたよ。」

:「そうよね。税務署と聞くだけで普通の人はびっくりしちゃうものね。」

:「映画みたいに、税務署が突然家に押しかけてきて家の中をひっくり返すのかと。」

:「だったら、通知なんか出さないでしょ。会社勤めのお客様は、税理士さんと付き合いがない人がほとんどだから、『お尋ね』がくることは伝えておいたほうが良いわね。」

:「でも、なんで税務署は、お客様が不動産を購入した資金の詳しい中身について聞いてくるんです？」

:「それは、脱税の発見のためでしょ。」

:「や、やっぱり。税務署が家に押しかけてくるんですね。」

:「そうじゃないわよ。何も悪いことをしてなければ問題ないわよ。」

:「じゃあ、なにを調べているんですか？」

:「例えば、自己資金についても、毎年の収入に比べて大きすぎれば、毎年の収入を脱税しているのではと疑うわけ。」

:「そうか。仮に年収が 300 万円なのに、自己資金が 5,000 万円とされていれば、さすがにそんなに貯めるのは難しいですものね。」

:「そういうこと。あるいは、親からこっそり援助を受けているかもしれないし。とにかく、『お尋ね』は慎重に書かないと、思わぬ形で税金が掛かるということもあるのよ。例えば……」

5 税務署からの「お尋ね」への対応

★これを知らないと恥ずかしい……

●税務署からの「お尋ね」には適正に対応しよう

不動産の購入というのは一生に何度もない大きな買い物であるだけに、その購入資金の調達が重要になります。

資金の調達方法には次のようなものがあります。

・自己資金
・他の資産を売却した代金
・銀行からの借入れ
・親族などからの借入れ
・親族などからの資金援助

これらの不動産を購入する際の資金の調達方法について、税務署から問い合わせがくることもあるのです。

税務署からの問い合わせといってもドラマで見るような物々しいものではありません。

「お買いになった資産の買入価額などについてのお尋ね」という質問用紙が届きます。この用紙に、購入物件の詳細、購入者の年齢や年収などとあわせて「購入資金をどのようにして調達したのか」を記載して、税務署に返送をするだけです。

具体的な記載方法は、年収などは会社が発行した源泉徴収票から記入を、購入した不動産の詳細は登記簿謄本や売買契約書から記入をします。

資金の出所については、自己資金であれば、どの銀行の口座に預金してあったものか、借入れであれば、いつ誰から借りたものなのか、他の資産を売却した代金であれば、いつ誰に何を売ったものなのかなど、詳細な記載が求められるのです。

税務署はなんで資金の出所なんかを知りたいんだ？

この「お尋ね」で税務署が目を光らせているのは、二つのことです。

一つは、過去に所得税を脱税した資金で不動産を購入したのではないかということ。

例えば、30歳前後で年収が300万円であり、過去の所得税の申告書をみても大きな収入がないのに、この不動産を購入する際の自己資金が5,000万円もあったというのであれば、ひょっとしたら、それは所得税を脱税した資金なのではないかという疑念がわきます。

確かにそんなお金貯まるわけないものな

要するに、この「お尋ね」によって、その人の年収や年齢、過去の所得税の申告状況と自己資金の金額のバランスを税務署はチェックしているのです。

もう一つ、税務署が知りたいのは、不動産の購入に際して親族などから資金の援助を受けていないかということです。

親に頭金を出してもらったりしちゃいけないの？

もちろん、不動産を購入するのに他人から資金の援助を受けること自体が悪いわけではありません。

他人から無償で財産をもらうことを「贈与」を受けるといいます。

一年間で一定金額以上の贈与を受けた場合には、「贈与税」という税金が掛かります（→ 236 ページ以降参照）。

要するに、この「お尋ね」により、親族等から贈与を受けた金額について、きちんと贈与税の申告がされているのかを税務署はチェックしているのです。

なお、親族等から資金の援助を受けたとしても、それが贈与されたものではなく、いずれ返済をするのであれば、親族等からの借入れとなり、贈与税の対象にはなりません。

ただ、親族間の資金の援助は、それが贈与されたものなのか借入れなのかは、第三者から見るとわかりにくいものです。

ですから、その資金の援助が贈与ではなく、借入れであることを明らかにするためには、きちんと金銭消費貸借契約書（借用書）を作成しておいたほうが良いでしょう。

しかし、金銭消費貸借契約書が作られていたとしても、その返済方法がいわゆる「あるとき払いの催促なし」のようなものだと、「最初から返す意思がない」とみなされ、贈与税の対象になるおそれがあります。

じゃあ、どうすればいいんだろう

つまり、親族等から借入れを行い、それが贈与ではないことを証明するには、返済期間や毎回の返済金額などについて他人が見ても不自然ではないような金銭消費貸借契約書を作成し、実際に返済をしていく必要があるのです。

さらに、この「お尋ね」は不動産を購入した人だけをチェックしているのではありません。不動産の取引には買主だけでなく、売主や建物の建設を請け負った施工業者、それらの仲介をした人なども関与しています。

不動産を購入した人からデータを入手することで、それらの不動産の売主や施工業者などが正しく税務申告をしているのかもあわせて税務署はチェックをしているのです。

◉税務署は「お尋ね」で何をチェックしているの？

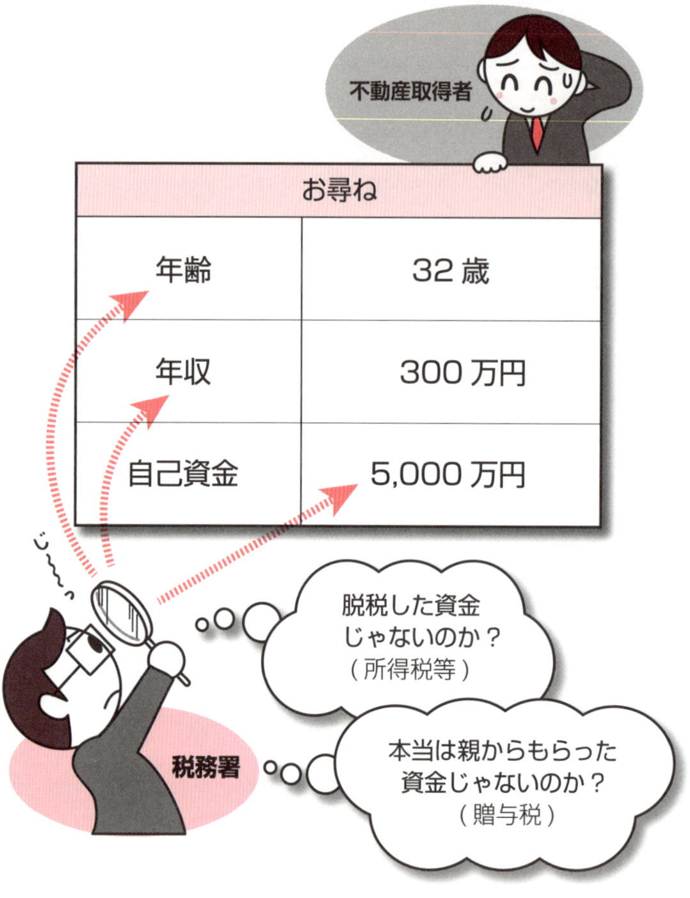
不動産取得者
じ〜っ
税務署
脱税した資金
じゃないのか？
（所得税等）
本当は親からもらった
資金じゃないのか？
（贈与税）

お尋ね	
年齢	32 歳
年収	300 万円
自己資金	5,000 万円

POINT

年齢や年収に比べて自己資金の額が大きい場合、その資金の出所が本当なのかチェックされるのよ

ここまで知っていると信頼される！

●共有の場合は持分と資金の負担割合に注意を

一つの不動産を複数の人が所有することを「共有」と言います。

共有の場合、それぞれの人がどれだけの割合を所有するかを表す「持分」というものが定められます。

不動産を共有により取得をした場合には、その持分と購入資金の負担割合のバランスに注意が必要です。

購入した不動産について所有者ごとの持分は、その資金の負担割合に応じたものとしなくてはならないのです。

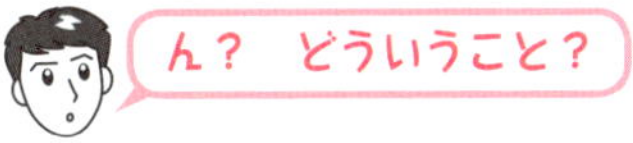

例えば、ある不動産を1,000万円で購入し、その購入資金を夫が600万円、妻が400万円負担したとしましょう。

この場合の購入資金の負担割合は夫：妻＝60%：40%となります。

そこで、この不動産の持分を夫60%、妻40%とするのです。こうすることで、夫は全体の不動産1,000万円の60%＝600万円の価値を所有し、妻は全体の40%＝400万円の価値を所有することになり、それぞれが負担した購入資金の金額と一致することになるのです。

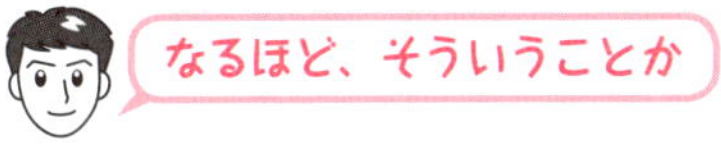

ところが、この不動産をすべて夫名義にしてしまったらどうでしょうか。

夫は、本来であれば1,000万円の資金を負担しないと購入できなかった不動産を600万円負担するだけで所有することができてしまい、400万円（1,000万円－600万円）も得をしてしまうことになります。

この400万円に相当する持分は、本来であれば妻のものとしなければなりません。

それをしなかったことで、結果的にこの400万円については妻から夫へ贈与されたものとされ、贈与税が課税されるのです。

ですから、贈与税の負担を回避するためには、共有であれば不動産の持分と購入資金の負担割合をあわせるようにしましょう。

お尋ねにも「2.共有者の」という持分を記入する欄があるので、不動産の持分と購入資金の負担割合に差がないかのチェックもするようにしてください。

逆に言えば、親族から資金援助を受けた場合で、贈与税の負担をしたくないのであれば、その援助を受けた資金に応じた持分を資金援助をしてくれた人のものとすることで、贈与そのものをなくすことができるのです。

◎不動産の持分と取得のために負担した資金

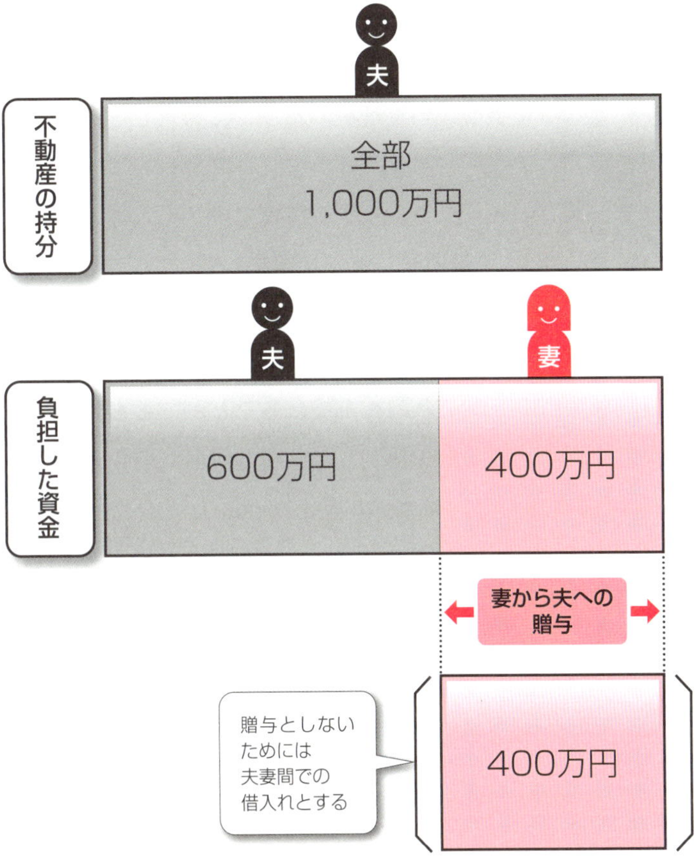

負担した資金の割合と不動産の持分のズレは贈与とされるの。
もし、どうしても負担した資金の割合と異なる持分にしたいときは、両者で金銭消費貸借契約を結ぶといいわね

●共有にすることのメリット・デメリット

不動産を共有することには、メリットもデメリットもあります。それらを事前によく理解したうえで共有を選択する必要があるでしょう。

まず、共有のメリットですが、住宅ローンを夫婦二人で連帯して支払う（「連帯債務」といいます）契約にすることで、住宅ローン残高に一定割合を掛けた金額について所得税や住民税から控除を受けられる「住宅ローン控除」（→ 92 ページ以降参照）をそれぞれの人が受けることができます。

また、将来、自宅を売却した際に利益が出た場合、その利益（「譲渡所得」といいます）から 3,000 万円の控除ができる（→ 194 ページ以降参照）という恩典も、所有者一人ひとりが利用できるため、最大で 6,000 万円まで譲渡所得からの控除が可能になるのです。

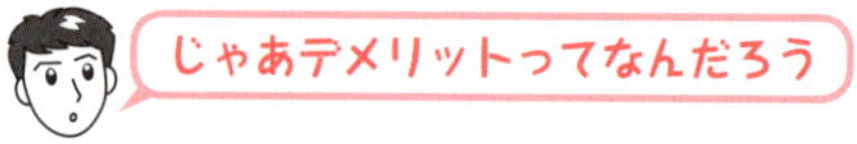

一方、共有のデメリットですが、将来、何らかの事情でその不動産を売却したい場合には、共有している人の同意が必要になります。

もし、共有している人の中に、売却したくないという人がいるのであれば、売却できないことがあります。

特に、共有している人が死去した場合、その共有していた持分は遺産相続の対象となるので、当初共有していた人とは違う人と共有をすることになるのです。

例えば、親と仲良く同居をし、自宅を共有していたときには、何も問題のなかったことが、その持分の遺産相続について親族ともめてしまったり、持分を相続した人から「共有持分を買い取って欲しい」という要望を出されることで思わぬ出費となることもあるでしょう。

また、夫婦間で共有とした場合にも、リスクはあります。

そのまま夫婦円満であれば良いですが、夫婦仲が悪くなり離婚などということになると、感情のもつれもあり、その共有していた持分を巡って非常にやっかいな争いとなることも多いものなのです。

さらに詳しくなるための参考資料

税務署からの「お尋ね」への回答義務は法的にはありません。しかし、回答しないと税務署から呼び出されたり調査の対象となることもあるので、適切に回答しましょう。

お買いになった資産の買入価額などについてのお尋ね
（不動産等用）

番号	K

※ 既に回答がお済みの方は、各項目の記入は不要ですが、備考欄にその旨ご記入の上、ご返送ください。

項目	照会事項	回答事項						
1 あなたの	職業	会社員	年齢 35歳	2 共有者の	住所			
	資産を買い入れた年の前年の所得	所得の種類（○で囲む）	年間収入金額 4,000 千円		氏名		あなたとの続柄	
		事業、農業、給与、不動産 その他（ ）	年間所得金額 2,660 千円		職業	年齢 歳	持分割合	／

項目	所在地	種類	細目	面積
3 買い入れた資産の	東京都江東区○○ X-X-X	建物	マンション	64.00 ㎡
		土地	宅地(持分 1/200)	3,000×1/200 ㎡
売主の住所氏名等	住所（所在地） 東京都中央区○○ X-X-X	氏名（名称）	○X 不動産(株)	あなたとの関係
買い入れの時期	契約 26 年 4 月 10 日（登記 26 年 4 月 30 日）			
買入価額	24,000,000 円	売買契約書の有無 有・無	お買いになった土地の上に建物があるときはその建物の所有者の 住所 / 氏名	あなたとの関係

4 費用	支払項目	金額	支払項目	金額	支払項目	金額
	登記費用	343,000 円	仲介手数料	780,000 円		円

5 支払金額（合計額）の調達方法

	金額	預貯金等の種類	預入先	名義人氏名	続柄
預貯金から	2,123,000 円	普通預金	○X 銀行 ○X 支店	鈴木 太郎	本人
	円				

	金額	借入先の住所氏名等			借入名義人の氏名（続柄）
借入金から	23,000,000 円	住所 東京都中央区○○ X-X-X			鈴木 太郎（本人）
		氏名 ○X銀行 ○X支店	職業		
	円	住所			（ ）
		氏名	職業		

	売却年月日	金額	売却資産の名義人	売却した資産の所在地	種類	数量	譲渡所得の申告の有無	申告先税務署名
資産の売却代金から	・ ・	円					有・無	税務署
	・ ・	円					有・無	税務署

	受贈年月日	金額	贈与者 住所	氏名	続柄	贈与税申告の有無	申告先税務署名
贈与を受けた資金から	・ ・	円				有・無	税務署
	・ ・	円				有・無	税務署

その他から	円	給与・賞与・手持現金・その他（ ）
合計	25,123,000 円	

備考	平成____年____月____日に________税務署へ回答済み。

以上のとおり回答します。

平成 26 年 6 月 20 日

住所 東京都江東区○○ X-X-X

フリガナ
氏名 鈴木《スズキ》 太郎《タロウ》

電話（03）XXXX－XXXX

関与税理士	氏名		電話（ ） －

まとめ

◎不動産を購入した場合、どこからその購入資金を用立てたかについて税務署から文書で問い合わせがあることも

◎自分以外の人に購入資金を用立ててもらった場合には贈与税が掛かることもある

◎複数の人で一つの不動産を購入する場合には共有にする

◎不動産の持分（所有割合）とローンや頭金の負担割合にズレがあるときは贈与税の負担に注意

◎共有にすることで、不動産を売却したときの譲渡所得税等の軽減措置をそれぞれが利用できる

◎共有にすれば、住宅ローン控除もそれぞれが利用可能に

◎ただし、親との共有をした場合に、遺産相続時に他の兄弟姉妹との間でトラブルになることも

◎また夫婦で共有にした場合、万一離婚する際には大きな障害になることもある

⑥ローンで購入した際の住宅ローン控除

ダイアローグ

国が「家を買ったごほうび」をくれる!?

:「自宅を買うって大変なことですよね。頭金を貯めてローンを組んだうえに、たくさんの税金や諸経費まで支払わなくちゃいけないんですから。」

:「まあ、一生ものの財産だからね。仕方がないわよ。」

:「がんばって一国一城の主になったんですから、なにかご褒美があるといいんですけどね。」

:「ないわけじゃないわよ。」

:「えっ、本当にそんなものがあるんですか？」

:「いわゆる『住宅ローン控除』っていうものね。これは、住宅ローンの年末の残高に一定割合を掛けた金額だけ、所得税や住民税が控除されるというものなの。」

:「へえ、ローンの支払いが大変だろうから、国が少し応援しますよっていうことなんでしょうかね。」

:「まあ、そういうことなんだろうね。国としてもより多くの人が住宅を購入してくれれば、その分景気も良くなって、結果的に税収が増えると期待しているんだろうし。」

:「損して得取れっていうことですかね。それで、その控除の手続きってどうするんですか？」

：「住宅ローン控除は、購入した年によっても変わるんだけど、数年にわたって受けられるものなの。手続きとしては、必要資料をそろえて自分で確定申告をしなくちゃいけない。ただ、会社に勤めている人なら二年目以降は会社が年末調整で控除の手続きをしてくれるのよ。」

：「年末調整って、毎月給料から天引きされている所得税と実際の年間の所得税の差額を調整して、会社がお金を返してくれるあれのことですか？」

：「そうよ。まあ、年末調整は必ずしも税金が返ってくるわけじゃなくて、毎月天引きされている金額が足りなければ、追加で税金が取られることもあるけどね。」

：「年末にお金がたくさん返ってくるとうれしいので、僕の分だけ毎月天引きされる税金の額を増やしてくれって経理に頼んだら、ダメだって断られちゃいました。」

：「なにやってるのよ。あなた一人のために、そんな面倒なことしてられないわよ、会社も。」

：「同じことを経理課長から言われました。エヘヘ。」

：「まあ、住宅ローン控除をローンの返済に充てているお客様も多いから、きちんと説明できるようにしておかないとね。この制度を誤解している人も多いし。例えば……」

6 ローンで購入した際の住宅ローン控除

★これを知らないと恥ずかしい……

●ローンで住宅を購入した場合には、税額控除も

住宅ローンを利用してマイホームを新築ないし購入した場合、「一定の要件」を満たせば、入居した年から10年間毎年所得税（場合によっては住民税も）が軽減される制度があります。

一般的には「住宅ローン減税」とか「住宅ローン控除」と呼ばれている制度です。この所得税についての住宅ローン控除が可能な限度額は次のように計算がされます。

所得税の住宅ローン控除限度額 ＝その年の年末住宅ローン残高×一定割合

ここでいう一定割合は、居住をした年度ごとに定められています（→106ページ「住宅ローン控除限度額表」参照）。

一定の要件ってなんだろう？

この制度の対象となるのは、住宅ローンを組んで購入した自らが居住する住宅であり、住宅を二つ以上持っている場合には、主として居住している物件一つに限られます。

この他にも住宅の床面積が50平方メートル以上で、その半分以上が自分の居住用であることや、控除を受ける年の合計所得金額が3,000万円以下であることなど、様々な要件（→104ページ「住宅を取得した場合の住宅ローン控除の主な適用要件」参照）があり、マイホームであればすべてが適用対象になるわけではありません。

さらに、中古物件には築年数について、マンションのような耐火建築物で25年以内、耐火建築物以外の建物で20年以内という要件が追加されます。

加えて、親族からの購入なども対象外となっています。

また、新たに住宅を購入しなくても、自宅について工事金額が100万円を超えるなど一定の要件を満たした増改築をした場合（→106ページ参照）にも、この住宅ローン控除を受けることができます。

ただし、住宅ローンについては、新築・中古・増改築いずれであっても、金融機関などから10年以上の返済期間で借り入れられたものに限られ、親族などからの借入れは対象にならないので注意が必要です。

●初年度は自分で確定申告が必要

住宅ローン控除の適用を受けるためには、入居した翌年の2月16日から3月15日までに自分で確定申告をする必要があります。

ただし、税金が戻ってくる「還付申告」は確定申告書の提出期限に関係なく、その翌年1月1日から5年間提出が可能です。

つまり、うっかり提出し忘れても5年以内であれば還付を受けることは可能ということです。

しかし、申告をしないのに、勝手に税金が還付されることはないので、できるだけ早く正確な申告をしたほうが良いでしょう。

どんな資料を用意すればいいんだろうか？

実際の確定申告では「確定申告書」「住宅借入金等特別控除額の計算明細書」に必要事項を記載し、次の資料を添付して住所地を所轄する税務署に提出をします。

・住宅取得資金に係る借入金の年末残高証明書
・住民票の写し
・登記事項証明書（登記簿謄本）
・不動産売買契約書や工事請負契約書のコピー

住宅取得資金に係る借入金の年末残高証明書は、住宅ローンを組んだ金融機関からその年の10月以降に送付されてきます。こちらは、税務署に対し原本の提出が必要です。

住民票の写しについては、居住をしている市区町村で発行をしてもらいます。特に有効期限はありませんが、目的は、その住宅に居住をした日を確認することですので、転居日以降に発行されたものでなければなりません。

なお、「写し」とはコピーの意味ではなく、住民票の元データは市区町村に保管されており、発行されたものが「写し」ということです。つまり、税務署への提出には発行してもらった「住民票そのもの」をつけてください。

登記事項証明書とは、いわゆる登記簿謄本のことであり、その住宅の所在地を所管している法務局で発行をしてもらいます。こちらも特に有効期限はありません。提出については、必ずしも原本である必要はなく、面積等の確認ができればコピーでかまいません。

不動産売買契約書や工事請負契約書は、この住宅の取得価額を確認するために提出を求められています。契約金額等と物件所在地、取引の対象者などが記載された部分をコピーして提出をすれば良いでしょう。

毎年、こんなことをしなくちゃいけないの？

なお、確定申告書を提出する際に、給与所得者であれば計算明細書の中で「控除証明書を要する」という欄に○をしておきます。

こうすると税務署から適用期間中の申告書兼控除証明書がまとめて送られてきます。その申告書と「住宅取得資金に係る借入金の年末残高証明書」を勤務先に提出することで、2年目以降は年末調整によって控除を受けられます。

個人事業主などは2年目以降も確定申告で手続きをすることになりますが、「住宅借入金等特別控除額の計算明細書」と「住宅取得資金に係る借入金の年末残高証明書」を添付すれば、初年度のような他の添付書類の提出は必要ありません。

●「戻ってくる」のは自分が払った分だけです

この住宅ローン控除についての控除限度額は、ひとまず「年末の住宅ローン残高の1%」と考えていいでしょう。

ただし、控除限度額全額の税金が戻ってくるわけではありません。

所得税の住宅ローン控除により還付される所得税額は、自分が支払った所得税の金額までです。

例えばその年の所得税の納税額が10万円であれば、控除限度額が30万円であっても還付されるのは10万円ということです。

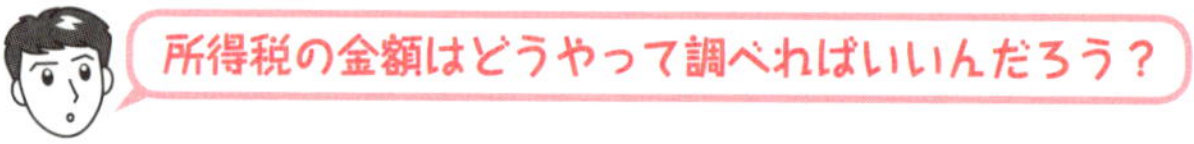
所得税の金額はどうやって調べればいいんだろう？

勤務先で年末調整がされている方であれば、所得税の納税額は、発行された「源泉徴収票」を見ればわかります。

この金額以上に所得税が還付されることはありません。

あくまでも住宅ローン控除は「税金の控除」であり、お金がもらえる「補助金」ではないのです。

また、住宅ローンは返済をしていくので、ローンの残高は毎年減っていきます。ですから、所得税の住宅ローン控除限度額は年々減っていくこともあります。

マイホームを購入される方の中には、この住宅ローン控除での所得税の還付を見込んで住宅ローンを組まれる方もいるでしょう。

しかし、このような住宅ローン控除の仕組みを正しく理解せず、当初住宅ローンを組んだ金額に一定割合を掛けた金額だけ10年間、毎年還付金という収入があると考えることのないように注意をしてください。

ここまで知っていると信頼される！

●所得税で戻し足りなければ住民税も対象に

本来、住宅ローン控除は所得税が対象です。しかし、平成21年以降の入居者の場合、所得税以外からも控除が受けられます。

どこから控除するんだろう？

平成21年1月1日から平成29年12月31日までに入居し、所得税の住宅ローン控除の適用がされたものの各年分の所得税から控除しきれなかった控除限度額がある場合には、その控除しきれなかった金額は、その翌年度分の住民税について住宅ローン控除の対象になるのです。

ただし、所得税から控除しきれなかった金額がすべて住民税から控除されるわけではありません。住民税の住宅ローン控除についても次のような限度額があります。

> 所得税の課税所得金額等× 7%（最高 136,500 円）[＊1]

＊1 平成 26 年 3 月 31 日までの居住の場合、住民税の住宅ローン控除の限度額は、所得税の課税所得金額等 × 5%（最高 97,500 円）となります。

先ほどの例でいえば、控除限度額が 30 万円で所得税が 10 万円だと、所得税は 10 万円だけ還付され、控除しきれない金額は 20 万円となります。

この控除しきれなかった金額を上限として、上記の計算式で算出した金額を控除して翌年の住民税額が決まるのです。

住民税も申告しないといけないの？

なお、住民税の申告については、給与所得者であれば、勤務先が毎年1月に各市区町村に住民税の計算に必要な所得金額の報告を行ってくれています。

また個人事業者など所得税の確定申告をした人であれば、同時に住民税の申告もされています。これらがどちらもされていない人は、住民税の申告が必要です。

いずれにしても、住民税の住宅ローン控除については申告された情報に基づき市区町村が計算をするため、この控除を受けるため新たに申告をする必要はないのです。

●すべてを自己資金で購入した場合には投資型減税が

住宅ローンを利用せず、住宅を購入した場合には、ローンの残高がないので、住宅ローン控除は受けられないことになります。

しかし、すべて自己資金であっても長期優良住宅など一定の住宅を購入した場合には、これらの性能強化に必要と思われる「掛かり増し費用」の10%の金額について、最大で65万円まで所得税から控除をすることができるのです。これを「投資型減税」と言います＊2（→107ページ参照）。

＊2 平成26年3月31日までは最大で50万円となります。

投資型減税 ＝ 掛かり増し費用（／㎡）× 床面積 × 10%

●消費税増税負担を緩和するための「すまい給付金」も

消費税の増税による住宅取得についての負担増を緩和するために、毎年の住宅ローン控除の限度額が最大で20万円から40万円に拡大されます。さらに、これ以外にもいくつかの住宅取得者への負担軽減策が取られているのです。

ひとつは、前ページでも触れた「投資型減税」の拡充です。消費税増税後は、投資型減税の控除額は最大50万円から65万円になります。

もう一つは、一定の住宅を取得した者に対し、一時金が支給されます。これを「すまい給付金」と言います。

「すまい給付金」は、消費税率8%時は収入額の目安が510万円以下の方を対象に収入額に応じて最大30万円、10%時は収入額の目安が775万円以下の方を対象に最大50万円給付される模様です。＊3

＊3 詳しくは、国土交通省すまい給付金（http//:www.sumai-kyufu.jp）をご覧ください。

◎住宅ローン控除の仕組み

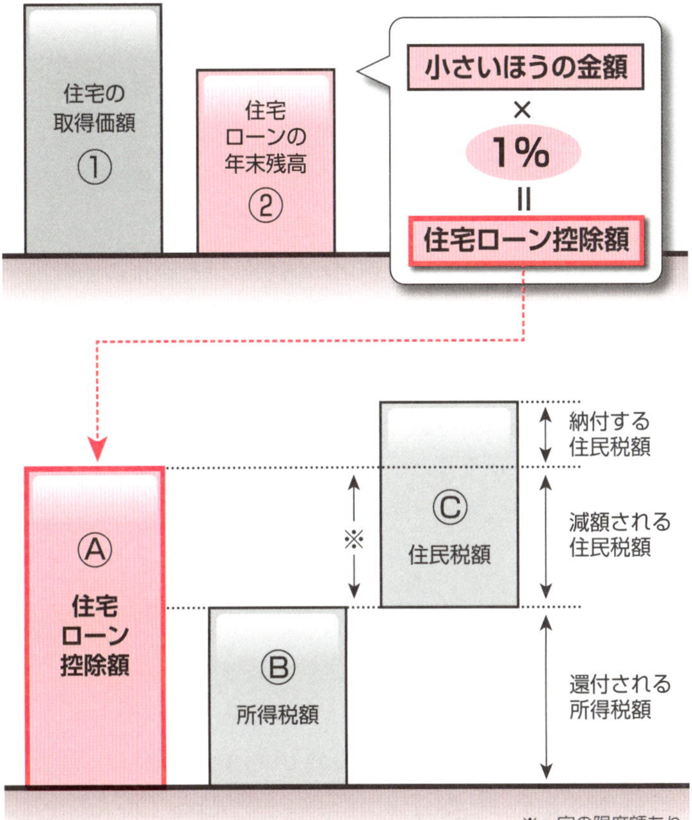

※一定の限度額あり

住宅ローン控除の金額はまず所得税額から控除がされるの。もし、控除しきれない金額があれば、一定の限度額まで住民税からも控除されるのよ

さらに詳しくなるための参考資料

【住宅ローン控除について】

●住宅を取得した場合の住宅ローン控除の主な適用要件（新築住宅の場合）

- 日本に住む人が住宅を借入金で購入し、平成29年12月31日までに居住の用に供する（その家に住む）こと
- 新築または取得の日から6カ月以内に自己の居住の用に供し、適用を受ける各年の12月31日まで引き続き住んでいること
- 控除を受ける年分の合計所得金額が3,000万円以下であること
- 住宅の床面積が50平方メートル以上で、その2分の1以上の部分を専ら居住の用に供していること
- 返済期間が10年以上の借入金であること（繰上返済により当初からの返済期間が10年未満となった場合には、その年以降は適用がありません）
- 居住の用に供した年とその前後2年ずつの5年間に、居住用財産を譲渡した場合の長期譲渡所得の課税の特例等を受けていないこと　など

（注）詳細は国税庁タックスアンサーNo.1213「住宅を新築又は新築住宅を取得した場合（住宅借入金等特別控除）」を確認してください。

（中古住宅の場合）

- 新築住宅の場合の要件を満たしていること
- 建築後使用されたものであること
- 購入日より20年（耐火建築物25年）以内に建築されたものであること（ただし一定の耐震基準を満たすものは除く）

（注）詳細は国税庁タックスアンサーNo.1214「中古住宅を取得した場合（住宅借入金等特別控除）」を確認してください。

（割増で控除が受けられる場合）

- 新築住宅の場合の要件を満たしていること
- 平成21年6月4日から平成29年12月31日までの間に「長期優良住宅の普及の促進に関する法律」に規定する「認定長期優良住宅」に該当する家屋を新築等し、自己の居住の用に供すること
- 平成21年6月4日から平成29年12月31日までの間に「都市の低炭素化の普及の促進に関する法律」に規定する「認定低炭素住宅」に該当する家屋を新築等し、自己の居住の用に供すること

（注）詳細はタックスアンサーNo.1221「認定（長期優良）住宅の新築等をした場合(認定長期優良住宅新築等特別税額控除)」を確認してください。

●増改築をした際の住宅ローン控除の主な適用要件

- 日本に住む人で自分が所有し、かつ自分自身の居住の用に供する家屋の増改築であること
- 一定の要件を満たす工事であること
- 新築住宅を購入した場合と同様の合計所得金額(3,000万円以下)や面積(50平方メートル以上など)、借入期間(10年以上)、長期譲渡所得の課税の特例不適用の要件等を満たすこと
- 工事費用の額が100万円を超えていて、その半分以上が居住用部分の工事費用であること　など

(注)詳細はタックスアンサーNo.1216「増改築等をした場合(住宅借入金等特別控除)」を確認してください。

●住宅ローン控除限度額表

住宅の種類	控除期間	控除率	控除限度額
一般住宅	10年	1%	40万円
認定長期優良住宅 認定低炭素住宅	10年	1%	50万円

(注)平成26年3月31日までの居住については、その控除限度額が一般住宅で20万円、認定長期優良住宅と認定低炭素住宅で30万円になります。

郵便はがき

恐れ入りますが切手を貼ってお出し下さい

102 0083

126

東京都千代田区麹町4-1-4
西脇ビル5F

㈱かんき出版
読者カード係行

フリガナ	性別　男・女
ご氏名	年齢　　歳

フリガナ
ご住所　〒 TEL　　　(　　　)
e-mailアドレス メールによる新刊案内などを送付させていただきます。ご希望されない場合は空欄のままで結構です。
ご職業 1. 会社員　2. 公務員　3. 学生　4. 自営業　5. 教員　6. 自由業 7. 主婦　8. その他(　　　　)
お買い上げの書店名

★ご記入いただいた個人情報は、弊社出版物の資料目的以外で使用することはありません。

★いただいたご感想は、弊社販促物に匿名で使用させていただくことがあります。
□許可しない

ご購読ありがとうございました。今後の出版企画の参考にさせていただきますので、ぜひご意見をお聞かせください。なお、ご返信いただいた方の中から、抽選で毎月5名様に弊社オリジナルグッズを差し上げます。

書籍名

①本書を何でお知りになりましたか。

- 広告・書評（新聞・雑誌・ホームページ・メールマガジン）
- 書店店頭・知人のすすめ
- その他（　　　　　　　　　　　　　　　　　　　　　　　　　）

②本書を購入した理由を教えてください。

③本書の感想(内容、装丁、価格などについて)をお聞かせください。

④本書の著者セミナーが開催された場合、参加したいと思いますか。

1 はい　　　　　　2 いいえ

ご協力ありがとうございました。

●投資型減税の主な適用要件

適用要件	内容
対象住宅	長期優良住宅・低炭素住宅
居住要件等	・新築または取得から6カ月以内に居住 ・合計所得金額が3,000万円以下 ・床面積が50平方メートル以上で1/2以上を専ら自己の居住の用に ・居住の用に供した年とその前後2年ずつの5年間で居住用財産を譲渡した場合の長期譲渡所得の課税の特例（措法31の3）及び居住用財産の譲渡所得の特別控除（措法35）の適用を受けていない
控除期間	1年間（ただし控除しきれない部分は翌年度の所得税から控除）

（注）詳細は国税庁タックスアンサー No.1221「認定（長期優良）住宅の新築等をした場合（認定長期優良住宅新築等特別税額控除）」を確認してください。

まとめ

◎一定の自宅をローンで購入した場合、ローン残高に応じた所得税・住民税額の控除がある

◎一年目は自らが確定申告をする必要がある

◎二年目以降は、年末調整をされる人は、そのときに還付手続きを勤務先の会社が代行してくれる

◎還付される税金は、支払った所得税の金額が上限

◎ただし、控除しきれない金額がある場合、一定額まで住民税の控除も可能

◎すべて自己資金で長期優良住宅などを建てたときにも一定の所得税の控除がある

◎消費税増税による負担増を緩和するために一定額の「すまい給付金」の創設も

第2章

不動産を保有・賃貸しているときの税金

●不動産の保有にかかわる税金

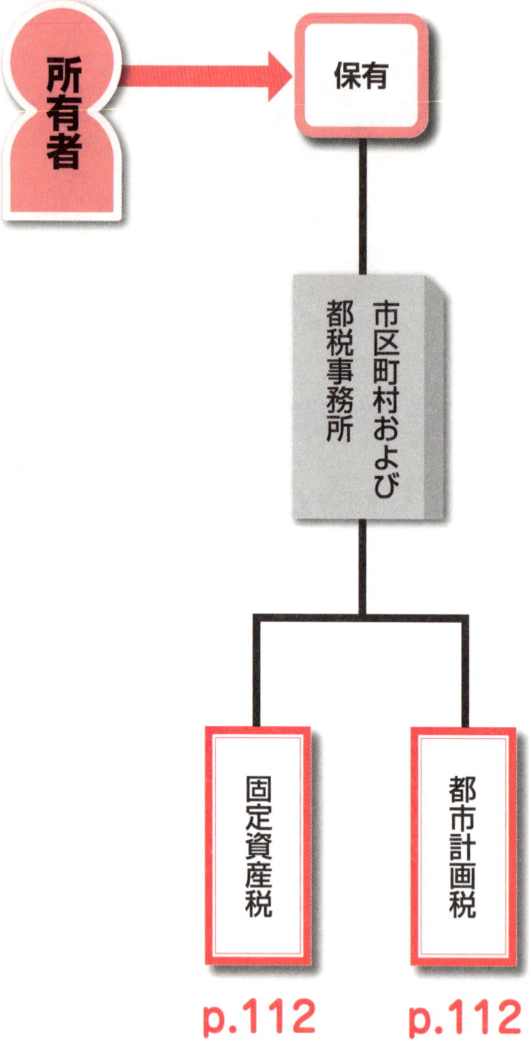

●不動産の賃貸にかかわる税金

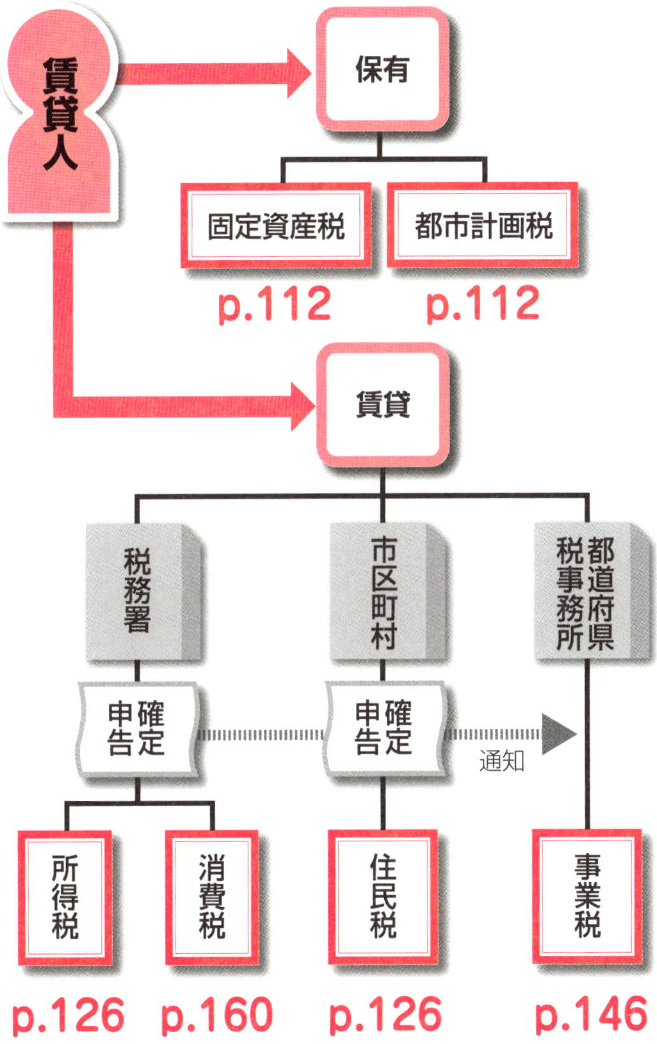

⑦不動産保有に対する固定資産税

ダイアローグ

いつの時点で持っていると掛かるの!?

:「あら、ランチはそのカップラーメンだけなの？」

:「ええ、去年、新車を買ったんですけど、毎年自動車税っていうのを払わなくちゃいけないんです。突然通知がきて、思わぬ出費のせいで今月の生活費は大ピンチですよ。」

:「毎年自動車税が掛かることくらい、車をもっていれば誰でも知っていることじゃない。」

:「自動車ローンのことは覚えているんですけど、買った後の費用のことは忘れてました。」

:「あなた、不動産も買った後、所有していると掛かる税金があるのよ。」

:「えっ、そうなんですか。住宅ローンだけでも大変だと思うのに、さらに毎年税金が掛かるんですか！」

:「そういうこと。毎年1月1日現在で所有している不動産に対して、固定資産税というのが掛かるのよ。」

:「なるほど。じゃあ、年の途中で買ったら、その年は固定資産税は支払わなくてもいいんですか？」

:「そういうことね。」

:「でも、そうなると、年の途中で不動産を手放した人は、1年分固定資産税を負担しなくちゃいけませんよね。なんだか不公平だな。」

:「それが法律だから仕方がないわね。でも、実際の不動産取引では、年の途中で不動産の売買が行われた場合、この固定資産税を『日割り』して精算するのよ。」

:「日割りで精算ですか？」

:「そうよ、固定資産税は1月1日時点での所有者である売主が全額納税するの。代わりに譲渡した日から年末までの期間の日数に応じた金額を買主から売主に支払うわけ。」

:「なるほど、それにより、結果的に売主が1月1日から譲渡した日の前日まで、買主が譲渡された日から年末までの固定資産税を負担したことになるんですね。」

:「そういうこと。ただし、あくまでも固定資産税を負担したのは売主なの。買主が売主に払った金額は、購入代金に上乗せされた金額として考えるものなの。」

:「結局、同じような気もするけど……」

:「いや、これは不動産を譲渡したときや賃貸したときの税金を計算する際には重要なことになるから、覚えておいて。それじゃ、固定資産税の仕組みを説明するわね。」

Basics of the real estate tax

7 不動産保有に対する固定資産税

★これを知らないと恥ずかしい……

●不動産を保有していると毎年掛かる固定資産税

固定資産税とは、不動産を所有している個人や会社に掛かる税金です。具体的には、その年の１月１日現在において市区町村の固定資産課税台帳に所有者として登録されている人に対して課税がされます。

年の途中で取得したらその年の固定資産税は？

そのため年の途中で不動産を売却したとしても、売主は１月１日時点の所有者であるため、その年一年分の固定資産税を納税しなくてはなりません。

一方、買主はその年の固定資産税を全く負担しなくても良いことになるのです。

なんだか不公平な気もするなあ

この不公平感を無くすために、不動産取引の実務上は、売買物件にかかる固定資産税を所有日数で按分して精算をするのが慣例になっています。

ただし、固定資産税の納税義務があるのは、あくまでも１月１日現在の所有者であった売主ですから、買主が固定資産税の精算分として支払った金額は税金の支払いではなく、単に売買価額を調整したにすぎません。

どっちでもいいんじゃないの？

売主にしてみれば受け取る精算金が売却代金であれば、物件を売却した利益に対する所得税等の金額に影響が出ます。

一方、買主も固定資産税という必要経費ではなく、「物件を購入するために支出した金額」となることで、購入した不動産を賃貸した場合には、不動産賃貸業に対する所得税の金額に影響が出るのです。

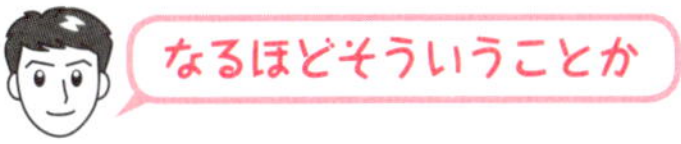
なるほどそういうことか

固定資産税の税額は次の算式で計算がされます。

固定資産税 ＝ 課税標準（固定資産税評価額）× 税率

すべての不動産について、三年に一度、この固定資産税の評価替えが行われます。

ですから、固定資産税の金額は三年に一度変更されるのが原則ですが、宅地については税負担の急激な変動を緩和するため「負担調整措置」という一定の調整が行われています。

そのための評価替えのときだけではなく、毎年少しずつ税額が変更される宅地もあるのです。

固定資産税の税率はどれくらいなんだろう？

税率は、自治体により若干異なることもありますが、ほとんどの市区町村が1.4％の税率を採用しています。

なお、同一人が所有する固定資産の課税標準額の合計額が、土地は30万円未満、家屋は20万円未満の場合には、固定資産税はかかりません。

この固定資産税に加えて、都市部では、市街化区域内の不動産の所有者に対して、「都市計画税」という税金が別途かかります。

都市計画税が課税される対象者や税額の計算方法などは固定資産税とほぼ同じで、その税率は最大で0.3％です。

固定資産税の申告はどうやるんだろう？

固定資産税は所有者が特に申告をしなくても毎年5月頃になると所有不動産の所在地である市区町村から納付額の記載された納税通知書が届きます。その納税通知書に記載された金額について、年4回の期日までに納税をします。

なお、都市計画税についても固定資産税の納税通知書にあわせて記載がされているので、一緒に納税をすることになります。

●固定資産税の住宅に対する軽減措置がある

固定資産税や都市計画税には、住宅に対する軽減措置があります。

ここでいう住宅は、自分が居住するものか賃貸されるものかは問いません。あくまでも、その構造が住宅用であることが要件です。主な軽減措置には次のようなものがあります。

(1) 住宅用地の特例

一定の要件を満たす「住宅用地」については、課税標準が減額されます。

この住宅用地とはその年1月1日現在において、住宅がその上に建っている土地をいいます。＊1

＊1 戸建てやアパートのような住居専用住宅だけでなく、店舗や事務所が併設されている併用住宅も減額割合は減りますが対象になります（→123ページ「住宅用地の特例の対象となる土地の面積」参照）。

この住宅用地の特例はその面積が200平方メートルまでの部分を「小規模住宅用地」、それを超える部分を「一般住宅用地」として減額される金額が区別されています。

ここでいう200平方メートルというのは、一戸当たりに認められたものであるため、アパートなどの集合住宅の場合、200平方メートルに住宅戸数を掛けた面積までが小規模住宅用地とされます。

結果として、減額後の課税評価額は次のようになります。

① 200㎡までの部分（小規模住宅用地）＊2

固定資産税：課税標準額× 1/6

都市計画税：課税標準額× 1/3

② 200㎡を超えた部分（一般住宅用地）＊2

固定資産税：課税標準額× 1/3

都市計画税：課税標準額× 2/3

＊2 これらの軽減措置の対象となる住宅用地の面積は、家屋の総床面積の10倍までが限度となります。

いずれにしても、更地のまま未利用の土地に住宅を建設することで、その敷地に対する固定資産税が大幅に減額されることになるのです。

（2）新築住宅の減額措置

新築された住宅で一定の要件（→124ページ「新築住宅に対する固定資産税の減額措置の要件」参照）を満たすものは、その構造により一定期間、120平方メートルまでの部分について、その固定資産税額が2分の1に減額されます。＊3

＊3 新築された住宅が認定長期優良住宅に該当する場合には、減額される期間が長くなります（→124ページ「認定長期優良住宅を新築した場合の特例期間」参照）。

この固定資産税額が減額される期間は次の通りです。

①三階建以上の耐火・準耐火構造住宅：新築後５年間
②その他の一般住宅：新築後３年間

このように住宅用の家屋やその敷地については、それ以外の家屋や土地と比較して、固定資産税が非常に優遇されているのです。

◎年の途中で譲渡した場合、固定資産税相当額は日割りに

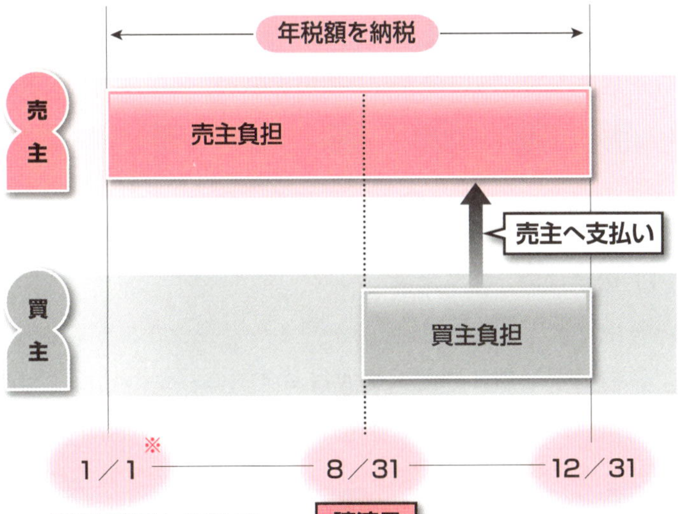

※精算の起算日は、地域により4／1とされることもあります。

買主から売主への支払いは、固定資産税そのものじゃなくて譲渡対価に上乗せされたものなのよ

ここまで知っていると信頼される！

●一つの土地にいくつもの評価額がある？

固定資産税評価額は、固定資産税のみならず、登録免許税や不動産取得税の計算にも用いられるうえに、ときには相続税における遺産の評価にも用いられます。

しかし、固定資産税評価額のみが必ずしもその土地の公的な評価額でありません。

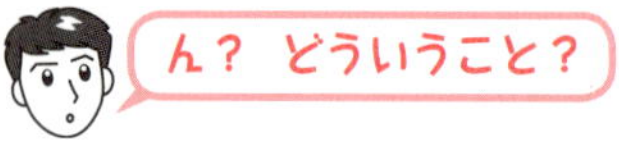

土地は実際に取引がされた相場を示す「実勢価格」とは別に、目的に応じていくつかの金額で公的に評価がされます。それらのうち主なものを一つひとつみていきましょう。

（1）公示地価、基準地価

毎年３月に「公示地価」というものが発表されます。

この公示地価は、国土交通省が全国の一定の場所（標準地）について毎年１月１日時点での金額を評価したもので、その評価基準は、売り急ぎや売り惜しみなどの特殊事情のない「自由な取引において通常成立すると思われる価格である」ということです。

また、各都道府県が毎年７月１日時点での価格を評価した「基準地価」というものもあります。

こちらも、その評価基準は公示地価とほぼ同じであり、違いは評価の対象となる土地の所在地と評価の時点だと言えます。

(2) 路線価

相続税（→ 214 ページ以降参照）や贈与税（→ 236 ページ以降参照）を計算するために、国税庁が定めたものに「路線価」というものがあります。

路線価は、市街地の土地についてのその年 1 月 1 日時点での 1 平方メートル当たりの評価額で、毎年 7 月に公表されます。

公示地価などがピンポイントの土地について付けた価格であるのに対して、路線価は道路（路線）ごとに価格が定められています。

その道路に面した土地の評価額を求めたい場合には、路線価に面積を掛けて算出をするのです。

実は、この路線価は公示地価の概ね 80% となるように設定がされています。

つまり、その土地の路線価を 80% で割り戻すことで、その土地の公示地価を基準とした「自由な取引において通常成立すると思われる価格」を算出することができます。

また、固定資産税評価額もこの公示地価の概ね 70% となるように設定がされています。ですから、その土地の固定資産税評価額を70%で割り戻すことで「公示地価ベース」の評価額を計算することができるのです。

割り戻せばいいのか

それぞれの評価額の関係を理解することで、固定資産税評価額や路線価から自由な取引において通常成立すると思われる価格を予想するなど、別の基準での土地の評価額を推測することも可能になるのです。

◎土地の評価額は一つではない

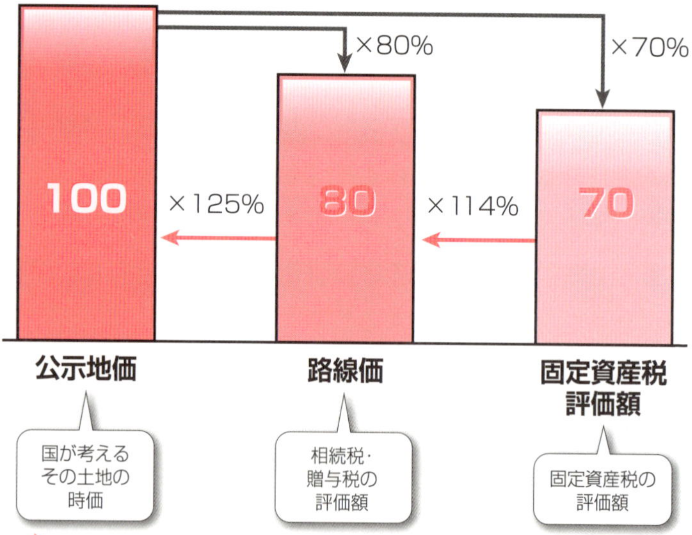

POINT
同じ土地でも、評価される場面によってその評価額は変わるのよ

さらに詳しくなるための参考資料

●住宅用地の特例の対象となる土地の面積
（固定資産税・都市計画税）

住宅の種類	土地の面積
専用住宅 （専ら人の居住の用に供する家屋）の敷地	その上に存在する家屋の床面積の10倍まで
併用住宅 （その一部を人の居住の用に供されている家屋で、その居住用部分の割合が４分の１以上あるもの）の敷地	その土地の面積（家屋の床面積の10倍まで）に以下の表に応じた率を乗じた面積

家屋の種類	居住部分の割合	率
下に掲げる家屋以外の家屋	1／4以上1／2未満	0.5
	1／2以上	1.0
地上階数５以上を有する耐火建築物である家屋	1／4以上1／2未満	0.5
	1／2以上3／4未満	0.75
	3／4以上	1.0

居住用部分の割合 ＝ 居住部分の床面積 ÷ 家屋の総床面積

●新築住宅に対する固定資産税の減額措置の要件

要件	内容
期限	平成28年3月31日までに新築された住宅
面積	・居住用部分の床面積が家屋全体の2分の1以上 ・居住用部分の床面積が一戸当たり50㎡以上(共同貸家住宅は40㎡以上)280㎡以下 (注)マンション等の場合には専有部分の面積に共有部分の床面積(持分に応じて按分)を加えた面積

●認定長期優良住宅を新築した場合の特例期間

新築住宅に対する固定資産税の減額措置の要件を満たす認定長期優良住宅に該当する住宅の固定資産税の減額期間は次のように延長されます。

要件	内容	
期限	平成28年3月31日までに新築された住宅	
減額期間	3階建以上の耐火・準耐火建築物	7年間(通常は5年)
	その他の一般住宅	5年間(通常は3年)

まとめ

◎その年の1月1日時点での不動産の所有者に対して、1年分の固定資産税がかかる

◎年の途中で譲渡した場合に、日割りで固定資産税の精算をすることが多いが、それは固定資産税ではなく単なる売買代金の調整

◎市街化区域内の土地・家屋には、都市計画税も課税される

◎一定の住宅用地や新築の家屋には、固定資産税の軽減措置がある

◎一般の土地取引価格に対する指標として、毎年公示地価が公表されている

◎市街地の土地には、税務署が定めた1平方メートル当たりの評価額である路線価が付けられている

◎路線価は公示地価の概ね80%、土地の固定資産税評価額は公示地価の概ね70%とされている

ダイアローグ

賃貸の手取りは税引き後で!?

:「お客様の中には投資物件として不動産を購入しようとする方や、もともと所有していた土地の有効活用のために賃貸用の建物を建てたいという方もいるの。」

:「私もそういう相談をされたことがあったのですが、どう答えて良いのかわからず、『ああ、あれですね。いいんじゃないでしょうか』と曖昧な笑顔で答えてしまいました。エヘヘ。」

:「なによ、それ。そういうときこそ、的確なアドバイスができるようにならないとね。」

:「はぁ（汗）。まずは何から話せば良かったんでしょうか？」

:「不動産投資をする方は、その不動産の『利回り』というものに強い関心を持っているわ。」

:「リマワリ？　あの夏に咲く黄色い……」

:「それは、ひまわり。あなた絶対ふざけてるでしょ（怒）。」

:「すみません。すみません。」

:「利回りというのは、自分が投資した不動産がどれだけ利益を上げるのかという割合のことよ。利回りが高いほうが同じ金額の投資でより多くの利益を上げられるというわけ。」

：「それなら私も利回りが高い不動産を選びます。」

：「でしょ。投資用不動産を選ぶ際には、想定される受取賃料を不動産の価格で割った『表面利回り』という指標で比較されることが多いわね。」

：「でも、不動産投資って受取賃料のすべてが儲けになるわけじゃないですよね？」

：「そうよ。不動産を賃貸することで得られる儲けのことを『不動産所得』というんだけど、これは受取賃料から固定資産税や修繕費、仲介手数料などの諸経費を差し引いたものなの。」

：「ただ、最終的に『不動産投資で得られたお金』というには、ここからまだ先があるのよ。」

：「な、なんです？」

：「この不動産所得は給与などの他の所得と合算された上で、所得税と住民税が課税されるのよ。」

：「『儲かったら税金が掛かる』というのはなんとなく知ってましたが。」

：「税金の額によって最終的な不動産投資の成果は大きく変わってくるので、お客様から不動産投資についてアドバイスを求められたときには、所得税と住民税の仕組みについてきちんと説明できるようにしておかないとね。」

8 不動産を賃貸したときの所得税・住民税

★これを知らないと恥ずかしい……

●所得税・住民税の課税の仕組み

不動産を賃貸して利益が出たときには、その利益に対して所得税や住民税が課税されることがあります。

では、その所得税や住民税の金額はどのようにして計算がされるのでしょうか。

まずは、「不動産所得」というものを算出します。

この不動産所得とは、不動産賃貸による「総収入金額」から「必要経費」を差し引いた、いわば不動産賃貸業の利益のことです。

給料をもらっている場合とかはどうするんだ？

このほかにも、会社から給料をもらっているなど他の所得がある場合には、それらの所得を一定のルールで合算をします。

このように他の所得と合算をして所得税等を計算する仕組みを「総合課税」といい、その合計金額を「総所得金額」といいます。

この総所得金額すべてに所得税と住民税が掛かるわけではありません。

納税者各人の事情に応じたバランスをとるため、ここから

「所得控除」というものを差し引くことが出来ます。

この所得控除には、健康保険料などを支払った金額に対する「社会保険料控除」や一定金額以上の医療費を支払った場合に認められる「医療費控除」、配偶者や子供などを扶養していた際に認められる「配偶者控除」「扶養控除」、誰もが無条件で認められる「基礎控除」などがあります。

総所得金額からこの所得控除を差し引いた金額を「課税所得金額」といいます。

この課税所得金額に対して所得税と住民税が掛かるわけですが、所得税については、課税所得金額の大きさに応じて課税される税率が変化します。具体的には、課税所得金額が大きくなった部分についてはより高い税率が適用されることになるのです。このような課税の仕組みを「累進課税制度」といいます。

ただし、課税所得全体に高い税率が適用されるわけではありません。

課税される所得の金額の大きさの範囲ごとに、それぞれ適用される税率が決められており、その税率が徐々に階段のように上がっていくのです。

一方、住民税は課税所得金額の大きさに関わりなく、課税総所得金額に一律10％（道府県民税4%、市町村民税6％）の税率が適用されます。

ここでいったん求めるべき税額が算出されますが、既に説明をした、一定の住宅をローンで購入した場合にその残高の一定割合が控除できる「住宅ローン控除」(→92ページ以降参照）などの「税額控除」がある場合には、その金額が差し引かれ「年間の所得税・住民税」の負担額が計算されるのです。

もちろん、必ずしも不動産所得が黒字になるとは限りません。賃貸料よりもそれを得るための必要経費のほうが余計に掛かってしまい赤字になってしまうこともあるでしょう。

確かに。じゃあ、赤字になったらどうなるんだろう

赤字になった場合は、給与所得などの他の所得があれば、原則として両者を相殺することができます。これを「損益通算」といいます。

つまり、不動産所得の赤字分だけ、不動産賃貸業を行っていなかったときよりも総所得金額が小さくなり、その分納めるべき所得税・住民税の金額が小さくなるわけです。

ただし、不動産所得の赤字のうち「土地等の取得に要した借入金の利子」に相当する金額は他の所得と相殺はできないので注意が必要です。

◎不動産所得に対する課税の仕組み

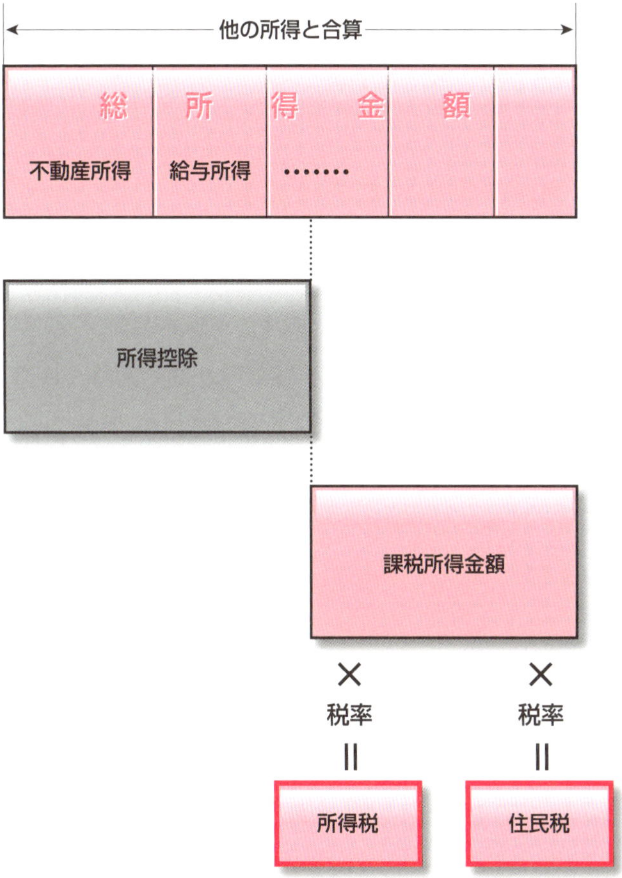

不動産所得単独ではなく、その黒字も赤字も他の所得と合算された上で所得税等の課税対象になるのよ

不動産賃貸業で赤字が出ることは決して良いことではありませんが、万一赤字が出ても他に所得がある人であれば、その赤字の一部を所得税・住民税が減ることで補填できるようなものだといえるでしょう。

●不動産所得の計算の仕組み

不動産所得は、総収入金額から必要経費を差し引いて計算をします。

この「総収入金額」には、通常の地代や家賃だけでなく、共益費、名義書換料、権利金、広告看板の使用料などの受取額も含まれます。

なお、契約時に受け取る保証金や敷金は一時的に預かったものであり、いずれ返還するものなので総収入金額には含まれません。

しかし、契約などにより返還する必要がないとされた預り保証金や敷金は、その契約をした年の総収入金額に含まれることになるので注意が必要です。

一方、「必要経費」として計上できる項目としては、その賃貸をした物件の固定資産税や修繕費、管理費、借入金の利子のほか、建物などの価値が下落した部分に相当する金額である「減価償却費」などがあります。

●減価償却費とは建物などの価値が減った部分の金額

通常、総収入金額を得るために支出をした経費については、その支出した時点で全額必要経費となり、不動産所得の金額を計算する上で控除がされます。

建物を購入した対価についても、総収入金額を得るために必要な経費なので、本来支出をした時点でその全額が必要経費となるはずです。

しかし、建物や機械、自動車などは、通常長期間にわたって使用が可能で、時の経過とともにその価値が減っていきます。このような資産を「減価償却資産」といいます。

それを支出した時点で全額を必要経費としてしまうと、その年の不動産所得だけが極端に小さくなり、実態と合わなくなってしまいます。

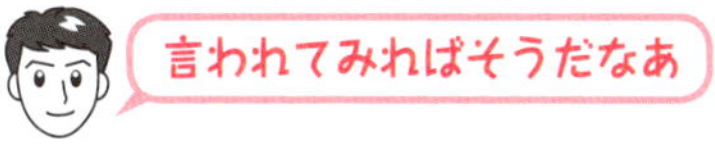

そこで、これらの減価償却資産については、その使用可能期間（「法定耐用年数」といいます）にわたり、時の経過に応じてその価値が減った分の金額をその期間の必要経費に配分します。

この減価償却資産の取得価額を法定耐用年数に応じたそれぞれの期間に分けて必要経費とすることを「減価償却」、その際に計算された金額を「減価償却費」というのです。

具体的にはどうやって計算するんだろうか

この減価償却費の計算方法については、毎年均等に価値が減ると考えて、法定耐用年数の期間内で毎年一定の金額の減価償却をする「定額法」と、新品のときほど大きく価値が減ると考えて減価償却をした残りの金額に毎年一定の割合を掛けた金額の減価償却をする「定率法」があります。

その取り扱いは減価償却資産の種類により異なります。

建物については、法人でも個人事業でも必ず定額法となります。

一方、建物以外の付属設備や器具備品、自動車などについては、定率法と定額法を選択することが可能です。

その選択をする際には、税務署への申請が必要ですが、法人の場合、申請をしないと自動的に「定率法」が、個人事業の場合には「定額法」が選択されたものとみなされるのです。

あれ？　土地は定率法？　定額法？

なお、土地については、減価償却をしません。減価償却費とは、資産の価値が減った金額のことです。

土地については、期間が経過してもその価値が目減りするわけではないので、土地の減価償却費は発生しないというわけです。

さて、長期間にわたって利用が可能な「固定資産」については、その利用可能期間に按分して必要経費にするというのは、理論上は正しいものです。

◎固定資産は支出をした時点ですぐに必要経費になるわけではない

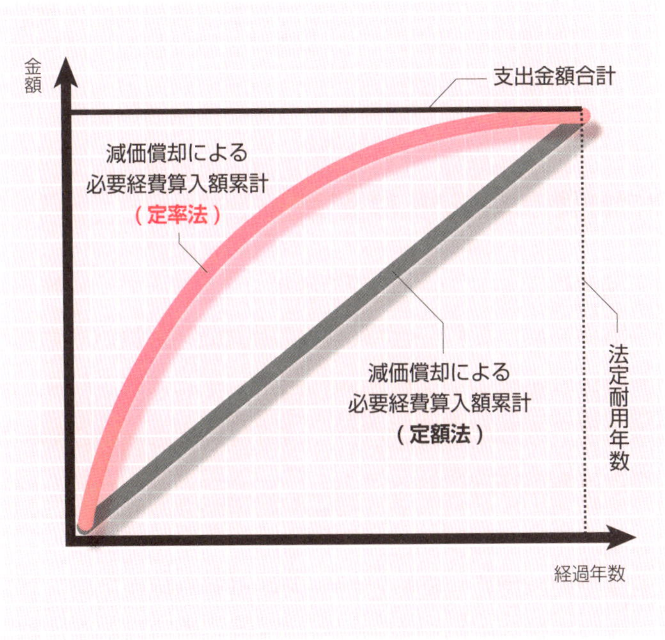

固定資産は支出をしてもすぐに必要経費に算入されない「不合理」があるの。その不合理を減価償却費で穴埋めしていくことになるわけね

しかし、固定資産とされることは、不動産賃貸業のオーナーにとっては、その購入のための支出をしているのに、その金額がすぐには必要経費にできないという「不合理」が生まれてしまうことを意味します。

お金が出て行くのに必要経費にならないのはイヤだな

その不合理が減価償却という計算により時間を掛けて解消されるということなのです。

●修繕費の取扱いには要注意

不動産賃貸業についての減価償却を考える上で、注意が必要なものがあります。それは建物の修繕費の取扱いです。

賃貸用の建物について、修繕をすることは家賃を得るためには必要不可欠のものですから、支出をしたときに必要経費とされるのが原則です。

ところが、修繕をすることで、元の状態に戻っただけでなく、元の状態よりも価値が上がってしまった（良くなってしまった）部分については、もはや修繕費でなく、追加で減価償却資産を購入したと考えなくてはいけません。

この部分のことを「資本的支出」といい、修繕費とは異なり支出時に全額を必要経費にすることはできません。いったん減価償却資産にしたうえで減価償却により法定耐用年数の期間を通じて必要経費に算入することになるのです。

例えば、今までついていなかった階段や扉などを追加したというのであれば、その追加した部分が資本的支出だということはわかります。

しかし、腐食を防ぐために屋根をペンキで塗り直した場合はどうでしょう。さびてしまった部分を元に戻すためのものであれば、元の状態に戻すだけなので、その支出は修繕費となると考えるはずです。

そういう言い方をするということは違うってこと？

実は、税務署はそのままペンキを塗らなければ法定耐用年数どおりに価値が減少したものが、ペンキを塗ったためにその建物が想定よりも長持ちするはずだと考えるのです。

つまり、ペンキを塗った費用について、元の状態に戻した部分までは修繕費に、それ以上に長持ちするようになるなど価値が増加した部分は資本的支出に、と分けなくてはなりません。

なんだそれ。一体どうやって分ければいいんだよ

これらの金額を区分するのは非常に困難です。そのため修繕費と資本的支出の区分が明らかでない場合の修繕費と資本的支出の金額については、いくつかの判断基準と算式で計算をするようになっているのです。

◎修繕費・資本的支出の区分が明らかでない場合

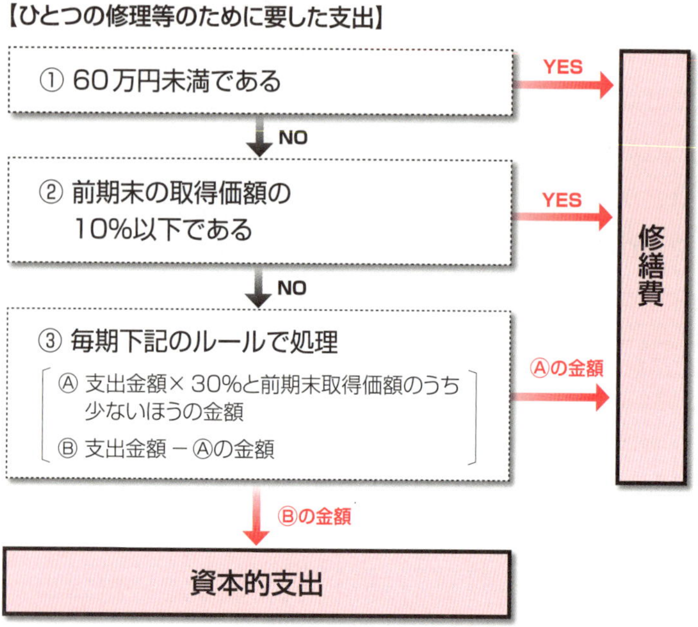

※明らかに資本的支出に該当するものであっても20万円未満の場合やおおむね3年以内の周期で行われる修理等については修繕費とすることができます。

ここまで知っていると信頼される！

●不動産所得があるなら青色申告を活用しよう

不動産賃貸業の所得の申告をする際には、「青色申告制度」を利用することもできます。

この青色申告制度とは、正確な帳簿の記載などを条件に、各種の税法上の恩典が受けられるものです。

青色申告を活用するには、一定の期日までに「青色申告承認申請書」という届出書を税務署に出す必要があります。

青色申告を利用しない場合の申告を「白色申告」といいますが、白色申告であっても、平成26年度から帳簿をつけなくてはならなくなりました。

つまり、青色申告と白色申告の手間の違いは、届出書を出すか出さないかの違いでしかないのです。

それであれば、不動産賃貸業を営んでいる以上、何はともあれ青色申告の届出をしたほうが良いでしょう。

青色申告にはどんなメリットがあるんだろう

個人事業者が青色申告を選択するメリットのうち効果が大きいのは次の3つです。

(1) 青色申告特別控除

青色申告の承認を受けていれば、不動産所得からその金額を限度として一定金額の控除ができます。この控除を「青色申告特別控除」といい、控除額は10万円と65万円の二種類があります。

不動産所得で65万円の控除を受けるには、「正規の簿記の原則」に従い会計帳簿を作成するとともに、その不動産賃貸業が「事業的規模」である必要があります。

この事業的規模であるかどうかの判断基準は「5棟10室」

などといわれます。

これは、原則として、戸建てなどの独立家屋であれば5棟以上、アパートやマンションなどの共同住宅などであれば10室以上の貸し付けをしている場合に、それぞれ事業的規模であるとされるということです。

なお、「正規の簿記」とは、一般に「複式簿記」という方法を指します。市販の会計ソフトなどで経理処理をすれば、それらはほぼ間違いなく青色申告の要件を満たすことができます。

65万円の控除を受けられれば、かなりの税負担軽減が期待できるので、事業的規模に該当するのであれば、是非とも複式簿記による記帳を心がけたいものです。

一方、不動産賃貸業が事業的規模に満たない場合や複式簿記による帳簿をつけていない場合には、10万円の青色申告特別控除を受けることができます。

(2) 青色事業専従者給与

所得税・住民税の計算上、一緒に生活をする身内(「生計を一にする親族」といいます)に対する支払いは、たとえ総収入金額を得るために必要なものであっても、必要経費に算入することはできません。

しかし、事業的規模の不動産所得について青色申告の承認を受けている場合には、生計を一にする親族に対する給与の支払額を必要経費に算入することができるのです。

なお、この青色事業専従者給与を必要経費に算入するためには、給与の支出予定額を記載した「青色事業専従者給与に関する届出書」を、給与を支給する年の原則として3月15日までに税務署に提出をする必要があります。

(3) 純損失の繰越控除

不動産所得が赤字の場合には、まずは他の所得と損益通算がされます。損益通算をしてもまだ控除しきれない損失(「純損失」といいます) がある場合に、白色申告であれば、その損失はなかったものとして取り扱われます。

しかし、青色申告の承認を受けている場合には、この純損失の金額を翌年以降3年間にわたり繰り越して、各年の所得と相殺することができるのです。

紙を一枚出すだけでずいぶんとメリットがあるものだな

個人事業者がこの青色申告の承認を受けるためには、原則として、青色申告の承認を受けたい年の3月15日までに税務署に申請をする必要があります。

また、新規開業をした場合には、業務開始日から2カ月以内に申請をしないといけません。

いずれの場合も、一日でも承認が遅れると、申請をした年は上記の特典が受けられなくなってしまうので十分に注意しましょう。

さらに詳しくなるための参考資料

●所得税・住民税の税率と速算表

1．所得税の税率と速算表

［平成26年1月1日現在］

課税所得金額	税率	控除額
195万円以下	5%	0円
195万円超 330万円以下	10%	97,500円
330万円超 695万円以下	20%	427,500円
695万円超 900万円以下	23%	636,000円
900万円超 1,800万円以下	33%	1,536,000円
1,800万円超	40%	2,796,000円

〈計算式〉所得税額 ＝ 課税所得金額 × 税率 － 控除額

(注1) 平成49年までの各年分の確定申告は、この所得税に加え、復興特別所得税（原則として、基準所得税額の2.1%）も併せて申告・納付する必要があります。

(注2) 平成27年分以降の所得税について、課税所得が4,000万円を超える部分の金額の税率は45%となります。

2．住民税の税率

課税所得金額	税率
一律で	道府県民税　4% 市町村民税　6%

●不動産所得についての青色申告特別控除の適用要件

1．65万円の青色申告特別控除を受けるための要件

項目	内容
事業的規模	●アパート等の場合は、貸与できる室数がおおむね10室以上 ●独立家屋の場合は、貸与できる棟数がおおむね5棟以上
経理処理	●複式簿記によって記帳している ●貸借対照表と損益計算書を確定申告書に添付して、この控除を受ける金額を記載し、申告期限内に提出

2．10万円の青色申告特別控除を受けるための要件

上記「65万円の青色申告特別控除を受けるための要件」に該当しない青色申告者。

(注) 詳細は国税庁タックスアンサー No.2070「青色申告制度」を確認してください。

●不動産所得の計算上、必要経費になるもの・ならないもの

1．必要経費になるもの

- 賃貸している物件の固定資産税
- 修繕費
- 管理費
- 不動産の取得に要した借入金の利子
- 減価償却費
- 水道光熱費
- 通信費
- 事業税
- 青色事業専従者給与など

2．必要経費にならないもの

- 生計を一にする親族に払う地代家賃や給与（青色事業専従者給与を除く）
- 家事関連費用
- 所得税、住民税
- 罰金など

まとめ

◎不動産賃貸により得た収入からそのための必要経費を差し引いた金額は不動産所得となり、所得税・住民税が掛かることもある

◎不動産所得で生じた赤字は、土地購入のための借入金の利息部分以外は他の所得と通算（相殺）が可能

◎建物の取得価額は、利用可能とされる期間（法定耐用年数）にわたり、減価償却により経費に算入される

◎修繕費は原則支出時に経費とされるが、一定金額以上のものなどは、減価償却資産となり減価償却により経費に算入される

◎青色申告の承認を得れば、不動産所得から年間で10万円ないし65万円の青色申告特別控除が受けられる

◎さらに、青色申告の承認を得れば、その年の所得がマイナスとなった場合にも、その純損失を翌年以降に繰り越すことや、本来認められない生計を一にする親族に対する給与を経費にすることもできる

⑨不動産を賃貸したときの事業税

ダイアローグ

手広く賃貸すると別の税金も!?

:「不動産の賃貸をすると、その儲けに税金が掛かるという話はしたわよね。」

:「ええ、確か不動産所得は給与などの他の所得と合算して、所得税と住民税が掛かるんでしたよね。」

:「そうよ。でも、そのほかにも掛かる税金があるの。」

:「あっ、賃貸している不動産に掛かる固定資産税ですね。」

:「確かに固定資産税も掛かるけど、それは不動産自体に掛かる税金でしょ。いわば、不動産賃貸業の経費なわけ。」

:「はあ、そうですねえ。」

:「所得税、住民税以外に不動産所得に掛かる税金があるのよ。」

:「まだ税金が掛かるんですか！」

:「そう。それは、事業税っていうの。」

:「はいはい。なんかもうどうでも良くなってきました。好きなだけ税金持っていってくださいよ～。」

:「なによ、もう。私が税金を取るわけじゃないでしょ。」

:「で、なんなんです？　そのジギョウゼイって。」

:「これは一定金額以上の事業所得や不動産所得に対して課税される税金なの。」

:「ジギョウショトク？」

:「個人が製造業、卸・小売業、サービス業などを営んで得た儲けのことよ。この事業所得が一定金額を超えると、その超えた部分について事業税が掛かるわけ。」

:「へえ、なんか納得いかないですけどね。」

:「そんな子供みたいにふてくされないでよ。でも、不動産所得には、必ずしも事業税が掛かるわけじゃないの。」

:「はあ、そうなんですか。」

:「事業税の対象になるのは一定の規模以上の『不動産貸付業』とみなされたものだけなのよ。」

:「複雑なんですね。余計に取られるだけでもイヤなのに、ますますその税金が嫌いになってきましたよ。」

:「このあたりが複雑なので、最初に事業税が課税される『不動産貸付業の判断基準』からしっかりと覚えておいてね。まず、貸し付ける不動産の種類ごとに規模が定められているんだけど……」

9 不動産を賃貸したときの事業税

★これを知らないと恥ずかしい……

●一定規模以上の不動産貸付には事業税の課税も

個人が不動産を賃貸して利益が出ると、所得税や住民税が掛かる場合があります。

これに加えて、ある基準以上の賃貸用不動産を保有していると、事業税という税金が課税される場合があるのです。

この事業税は、都道府県が事業をしている人に課税をする税金です。

なお、事業税は所得税や住民税とは異なり、納付した金額を必要経費とすることが可能です。

どれくらいの不動産をもっていると対象に？

個人の不動産賃貸業の利益が事業税の対象になるのは、その不動産の賃貸が事業税で定める「不動産貸付業」や「駐輪場業」に該当する場合のみです。

この「不動産貸付業」「駐輪場業」であるかどうかの判断基準は、それぞれ貸し付けている不動産の件数や面積によります。

これらの判断基準は、都道府県により若干異なることもありますが、一例を挙げると、住宅だと「戸建てなら10棟以上、区分所有の部屋なら10室以上」、住宅以外だと「戸建てなら5棟以上、区分所有の部屋なら10室以上」などとされています。

言い換えれば、その個人の不動産の賃貸が「不動産貸付業」に該当しなければ、仮に不動産賃貸業で利益を上げていたとしても事業税の対象にはならないのです。

じゃあ事業税は、どうやって計算するんだろう。

事業税の対象となる「課税所得金額」を計算するには、まず、所得税の不動産所得と同様、総収入金額から必要経費を差し引きます。

ただし、所得税の不動産所得であれば、ここから青色申告特別控除を差し引くこともできましたが、事業税では、それができません。

つまり、「所得税における不動産所得の金額」に青色申告特別控除を加算することで「事業税における不動産所得の金額」となるわけです。

この金額から年額290万円の「事業主控除」というものを差し引いた金額が事業税の「課税所得金額」となります。

ですから、所得税における青色申告特別控除前の不動産所得の金額が290万円以下であれば、不動産貸付業に該当していたとしても、その年の事業税は掛からないのです。＊1

＊1 事業主控除は年間で290万円であるため、事業を行った期間が1年未満の場合には、月割した金額となります。

事業税の税率はどれくらいなんだ？

事業税の税額は、この課税所得金額に事業の種類ごとに定められた税率を掛けて計算されます。その税率は３～5%の３種類に分けられますが、不動産貸付業の場合には5%と定められています。

つまり、不動産貸付業の事業税の金額は基本的に次のようになるわけです。

> **事業税の金額＝（所得税の不動産所得＋青色申告特別控除－290万円）×5%**

事業税も計算して申告するとなると大変そうだな

個人で不動産賃貸業を営んでいる方は、だいたい、所得税の確定申告書を税務署に提出しているはずです。

この確定申告書に記載された事業税に関する情報が、税務署から各都道府県税事務所に伝えられます。その情報をもとに都道府県税事務所が事業税を計算するのです。

そのため個人の場合、通常だと事業税の申告書をあらためて提出する必要はありません。

ただし、所得税の確定申告書や個人住民税の申告書を提出していない場合には、毎年3月15日までに、都道府県税事務所に事業税の申告書の提出が必要です。

なお、事業税の納付期限は8月と11月の年二回と定められています。

納税方法については、個人事業者であれば、管轄の都道府県税事務所から、納付すべき事業税の金額が記載された納税通知書が毎年8月頃に届きます。この通知にしたがって期日までに納税をします。

一方、法人であれば、決算終了から原則2カ月以内に住民税とあわせて都道府県税事務所に自ら申告書を提出し、納税をする必要があるのです。

◎不動産貸付業に対する事業税の課税の仕組み

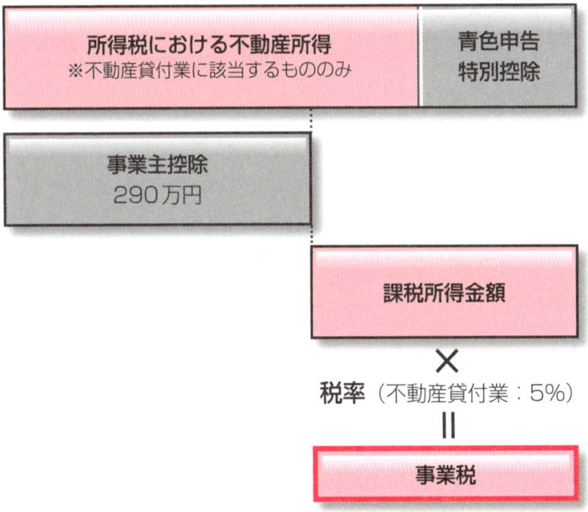

不動産貸付業に該当しなければ、不動産所得の金額にかかわらず事業税はかからないけどね

ここまで知っていると信頼される！

●個人と法人とでは、税金の計算方法が違う

個人事業の所得に対する「所得税等の課税の仕組み」と法人の所得に対する「法人税等の課税の仕組み」には大きな違いがあります。

そのため、同じ金額の不動産賃貸業からの所得を上げたとしても、その所得が個人のものなのか、法人のものなのかにより負担すべき税額が異なることになるのです。

賃貸用の不動産を購入するのであれば、その賃貸事業の所得についての税負担をできるだけ小さくしたいと誰もが願うはずです。

そこで、不動産賃貸による所得に対する税金について、法人の場合と個人事業の場合でどちらが得なのかを考えてみます。

まず、個人の所得税・住民税の税率は、合わせると六段階の累進課税になっています。[＊1]

一方、法人税の税率は原則として一律ですが、中小企業の一定金額以下の所得には軽減措置もあります。[＊2]

個人の所得に対する所得税・住民税の税率は合わせて最小約 15% から最大約 50%。[＊3]

それに対して法人の所得に対する税金は事業税などを合わせて最小で約 23%、最大で約 38% となります。[＊4]

＊1 平成27年度以降は7段階になります。

＊2 法人事業税にも軽減税率があるため、軽減税率が適用される場合、事業税の税率は3段 階になります。

＊3 平成27年度以降は最大約55%となります。

＊4 復興特別法人税の適用がなくなると、法人税等の負担税率はそれぞれ約2%引き下げられることになります。

この税率構造の違いから、「所得の金額が少ないうちは個人事業のほうが、所得が大きくなってからは法人のほうが税金上は有利」であることがわかるでしょう。

実は、違いはこれだけではありません。個人事業と法人では所得計算の仕組み自体が違います。

ん？　何がちがうんだ？

個人事業の場合、収入から実際に掛かった必要経費を差し引いた金額が不動産所得となります。

一方、法人の場合には、収入から実際に掛かった経費を差し引いた上に、オーナーである役員への報酬も差し引いた金額が課税対象の所得になります。

つまり、仮に不動産賃貸事業からの利益と同じ金額だけ役員報酬を支払っていれば、法人の利益は0となり、法人税等は課税されないことになるのです。

もちろん、オーナーが受け取った役員報酬は給与として所得税の課税の対象になります。

それであれば、不動産所得が給与所得に変わるだけで「結局、法人も個人事業と一緒」と思うかもしれません。

結局所得税が掛かるんじゃねえ

しかし、給与としてもらった収入（給与収入）の金額が、そのまま課税の対象となる「給与所得」の金額となるわけではありません。

給与収入からは、「給与所得控除」というものが差し引かれて給与所得の金額となります。

この給与所得控除とは、給与という収入から差し引くことが認められた「概算の経費」ともいえます。

つまり、法人で不動産賃貸業をすれば、賃貸料収入から実際に掛かった経費だけでなく概算の経費も二重に差し引くことができるということなのです。

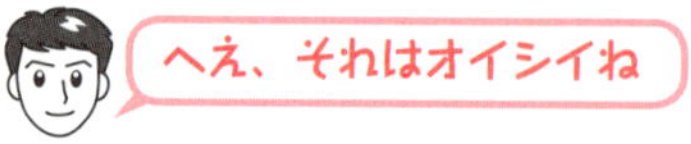
へえ、それはオイシイね

なお、この給与所得控除の金額は、最低で 65 万円から給与収入の金額が大きくなるにつれて上がっていき最大で 245 万円となっています。＊5

＊5 給与所得控除の上限金額は平成 28 年度以降 230 万円、平成 29 年度以降は 220 万円となります。

●法人化することで事業税の負担を回避できることも

個人事業であれば、青色申告特別控除前の不動産所得の金額から290万円という事業主控除を差し引いた金額のみに事業税が課税されます。

しかし、法人の場合には、そのような控除はなく、法人の課税所得に事業税が課税されます。

ただ、役員報酬を支払った後の法人の課税所得が0であれば、結局、事業税の負担はありません。また、オーナーが受け取った役員報酬についても、事業税は課税されません。

もらった給料には事業税は掛からないんだな

つまり、不動産賃貸業の利益とほぼ同額を役員報酬とすることで、結果的に個人事業であれば負担していた事業税の負担を回避することができるのです。＊6

＊6 資本金が1億円を超える場合、外形標準課税により利益がなくても事業税が課税されます。

一方で、法人には青色申告特別控除がなかったり、赤字でも負担の必要な住民税の「均等割」という税額が余計に掛かったりするなどというデメリットもあります。

加えて、課税される所得が小さい場合には、法人税よりも所得税・住民税の税率が低いのは既に説明したとおりです。

そのことからもやはり、「税金上は、不動産所得が一定金額以下であれば個人事業のほうが有利で、一定金額を超えると法人の方が有利」ということになるのです。

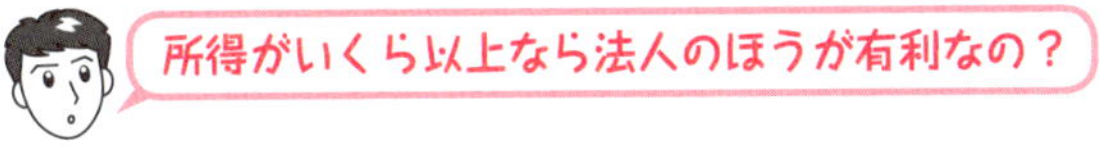
所得がいくら以上なら法人のほうが有利なの？

ザックリとした計算ではありますが、年額の不動産所得がだいたい420万円以上になるのであれば、その不動産賃貸業については、個人で行うよりも法人のほうが、税金上は有利であるといえるでしょう。

◎個人事業と法人の課税の仕組みの違い

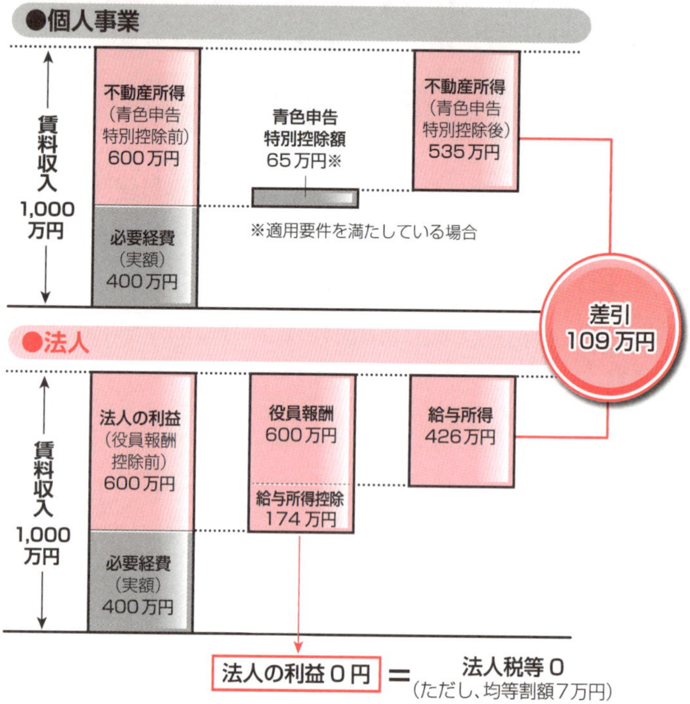

法人化し役員報酬としてもらうことで必要経費という実際に掛かった経費の他に、給与所得控除という概算の経費も控除することができるようになるのよ

さらに詳しくなるための参考資料

●事業税上の貸付事業の定義（東京都の場合）

1．不動産貸付業

種類・用途等			貸付用不動産の規模等
建物	住宅	① 一戸建	10 棟以上
		② 一戸建以外	10 室以上
	住宅以外	③ 独立家屋	5 棟以上
		④ 独立家屋以外	10 室以上
土地	⑤ 住宅用		契約件数が 10 件以上、または、貸付総面積が 2,000 ㎡以上
	⑥ 住宅用以外		契約件数が 10 件以上
⑦ 上記①～⑥の不動産を併せて貸し付けている場合			貸付棟数・室数、または、契約の合計が 10 以上
⑧ 上記①～⑦の基準未満でも、規模等から不動産貸付業と認定される場合			建物の貸付面積が 600 ㎡以上、かつ、賃料収入が年 1,000 万円以上

2．駐車場業

種類・用途等	貸付用不動産の規模等
建築物・機械式等である駐車場	駐車可能台数が 1 台以上
上記以外の駐車場	駐車可能台数が 10 台以上

●業種別の事業税率（東京都の場合）

区分	税率	事業の種類
第１種事業 （37業種）	5%	不動産貸付業、駐車場業、不動産売買業、物品販売業、保険業ほか
第２種事業 （3業種）	4%	畜産業、水産業、薪炭製造業
第３種事業 （30業種）	5%	医業、弁護士業、公認会計士業、税理士業、コンサルタント業ほか
	3%	あんま・マッサージほか

まとめ

◎「不動産貸付業」とされる規模の個人の不動産賃貸業の所得には事業税がかかることも

◎個人の不動産所得の事業税は、原則として（賃貸料収入－ 必要経費＋青色申告特別控除－ 290 万円）× 5% で計算される

◎法人で不動産賃貸業を営んだ場合にも、その所得に応じて事業税がかかる

◎個人での不動産事業を法人化し、オーナーに役員報酬を支給することで事業税の負担を軽減することも

◎不動産所得の金額が少ないうちは個人事業のほうが、所得が多くなってからは法人のほうが税金上は有利

ダイアローグ

⑩不動産を賃貸したときの消費税

納税はするが負担はしない!?

:「不動産の賃貸をしていると、まず固定資産税が課税されて、その上儲けが出ても所得税と住民税や場合によっては事業税まで課税される。さすがにもう掛からないですよね。」

:「いや～、これがそうでもないのよ。フフフ。」

:「なんか税金が掛かることを喜んでいるみたいなんですが。」

:「そんなわけないでしょ。でも、不動産の賃貸をすれば消費税の納税をしなくちゃいけないこともあるの。」

:「消費税もですか！」

:「ただ、この消費税は不動産を賃貸しているオーナーさんが負担しているわけじゃないのよ。」

:「オーナーさんは消費税の納税をするけど、負担はしていないってどういうことですか？」

:「商品やサービスっていろいろな事業をしている人を経て、最終的な消費者に届けられるでしょ。」

:「確かに、さっき買ったこのお菓子だって、作ったメーカーからコンビニを通じて僕の手元に届けられたわけだ。」

:「ちょっと！　収入印紙を買ってきてと頼んだのに、自分の分だけお菓子を買ってたのね。」

:「あ、あれ？　お菓子は頼まれてませんでしたっけ……」

:「もう、いいわ。話を戻すけど各々の事業者は商品やサービスの値段に消費税を上乗せして代金の請求をしているでしょ。」

:「確かに。このレシートにも消費税額が書かれています。」

:「だから、間にいる事業者は、得意先から代金に上乗せした消費税を預かり、購入先には代金に上乗せされた消費税を支払っているわけ。」

:「事業者は消費税を支払っているだけじゃなくて預かってもいるのか。」

:「その預かった消費税と支払った消費税の差額を事業者は納税をしなくちゃいけないのよ。だって、そうしないと人様から預かった消費税が手元に残ることになっちゃうからね。」

:「そうか、それだと、事業者は消費税の納税はしているけど、そのお金は自分の懐を痛めたものではないことになる。」

:「そういうこと。ただ、不動産賃貸の場合には、同じ受取賃料でも消費税の課税対象のものと、消費税が非課税のものがあるの。まずはそこから説明していくことにするわ。」

Basics of the real estate tax

10 不動産を賃貸したときの消費税

★これを知らないと恥ずかしい……

●消費税は納税している人が負担しているわけではない

消費税とは、商品やサービスを「消費」した際に課税がされる税金です。

消費税を負担しているのは、最終的に商品やサービスを消費した「消費者」であり、「事業者」は原則としてその負担をしません。

事業者も消費税は支払うはずだけど？

消費税は、商品やサービスの取引をした際にその代金に上乗せされてやりとりされます。

商品やサービスを提供した「事業者」(不動産賃貸業であれば、不動産オーナー）は代金と一緒に消費税を預かる一方で、商品やサービスの提供を受けた場合には、代金と一緒に消費税を支払うわけです。

このままですと、事業者の手元には「預かった消費税」と「支払った消費税」の差額が残ることになります。

そこで、この「預かった消費税」から「支払った消費税」を差し引いた金額について、事業者が国に消費税の納税をするのです。

あくまでも事業者は納税の手続きはしているものの、それは、消費税の精算作業をしているだけで、消費税の負担をしているわけではないのです。

●消費税の課税対象となる賃料、ならない賃料

不動産の賃料については、すべてが消費税の課税の対象となるわけではありません。消費税の課税対象とならない賃料もあります。

まずは、賃貸する不動産を「土地」と「建物」に分けて、それぞれ消費税の課税対象になる賃料とならない賃料についてみてみましょう。

土地を賃貸した場合の賃料は、原則として、消費税は「非課税」となります。ただし、土地の賃料であっても消費税の課税対象となるものが主に二つあります。

一つは、その土地を貸す期間が一カ月未満など「短期の賃貸借」の場合です。もう一つは、その土地の上に「駐車場の施設や設備がある」場合です。

土地を更地のまま資材置き場や駐車場として貸した場合には、その賃料は原則通り消費税は非課税であり、課税対象にはなりません。

しかし、その土地が砂利やアスファルトで舗装されていたり、駐車設備等の器材が設置されていたりする場合は、その賃料は「駐車サービスの対価」となり、消費税の課税対象になるのです。

建物はどうなんだろう？

一方、建物を賃貸した場合の賃料については、原則として消費税は課税対象となります。

しかし、その建物の用途によっては、その賃料が非課税となるものがあります。

言い換えれば、建物の賃料について消費税が課税か非課税かの判断をするには、その「用途」の確認が重要だということになるのです。

では、どのような用途の賃料であれば、消費税が非課税になるのでしょうか。

それは、居住用の建物の賃料です。

なんだ、うちの家賃は消費税って掛かってないのか

消費税の導入当初は、居住用の建物であってもその賃料は消費税の課税対象でしたが、生活のために欠かせない支出である居住用の賃料にまで消費税を課すのは酷ではないか、という考えから非課税になったのです。

つまり、その建物の用途が事務所や店舗、倉庫など事業用の賃料については、消費税は課税、居住用の賃料については、消費税は非課税となるわけです。

●一定金額以下の「課税売上高」なら納税義務がないことも

消費税の課税対象になる売上高のことを「課税売上高」といいます。実は、この課税売上高が一定金額以下の事業者については、消費税の納税義務が免除されているのです。

消費税の納税義務がないなんていいなあ

事業者は、原則として、「基準期間」の課税売上高が1,000万円以下であれば、消費税の納税義務はありません。

この「基準期間」というのは、原則として、個人ならば前々年、法人であれば前々期の事業年度（通常は一年間）のことです。

消費税の納税義務がない個人や法人を「免税事業者」といいます。規模の小さな個人や法人は、消費税の計算が大変であろうということから消費税の納税義務が免除されているわけです。

結果的に、免税事業者であれば、預かった消費税と支払った消費税の差額については「益税」として、その事業者の手元に残ってしまうことになるのです。

う〜ん、なんだかずるい気もするけど

ただし、預かった消費税額は必ずしも支払った消費税額よりも多いとは限りません。

では、支払った消費税額が預かった消費税額よりも多い場合にはどうなるのでしょうか。

事業者が消費税の納税をするというのは、消費税を負担するのではなく、あくまでも預かった消費税額と支払った消費税額の差額を精算しているだけです。

ですから、支払った消費税額のほうが預かった消費税額よりも多いのであれば、その差額については「消費税の申告をすること」で還付がされるのです。

しかし、免税事業者というのは、消費税の申告をしません。つまり、免税事業者は、消費税の還付が受けられないことになります。

不動産賃貸業を始める際には、建物を建築するなど多額の設備投資をすることが多いでしょう。その分、支払った消費税額も多額になり、預かった消費税額を上回ることも多いものです。

しかし、免税事業者のままではいくら支払った消費税額が多額であっても消費税の還付を受けることはできないことになります。

それは困る。何かいい方法は無いのかな

このようなときには、「消費税課税事業者選択届出書」という書類を提出することで、本来納税義務がないのにあえて消費税の納税義務のある「課税事業者」となり、消費税の還付を受けられる場合があります。

ただし、一度この届出をすると最低二年間は消費税の課税事業者となり続けなくてはいけないので、その期間全体を通じての損得を考慮して、あえて課税事業者となることを選択するかどうかを選ばなくてはいけないのです。

◎消費税の納税額はこうやって計算する

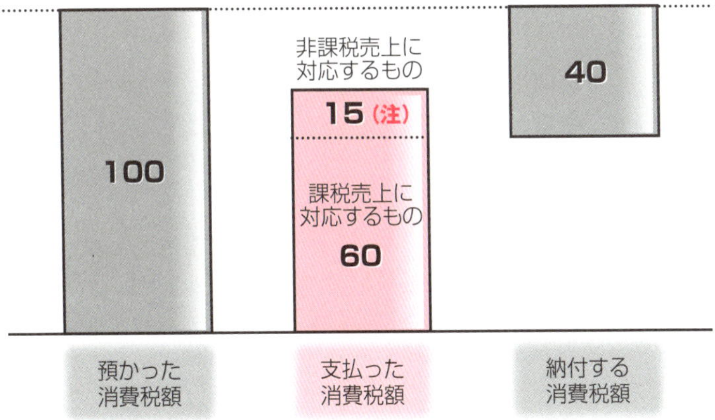

(注) 納付する消費税額の計算上、預った消費税額から控除することのできる消費税額は課税売上高を獲得するための支払いについてのもののみです。居住用の家賃など、非課税売上高を獲得するための支払いについての消費税額は、原則として控除することができません。

消費税の納付額は、
預かった消費税額 − 支払った消費税額 。
もし支払った消費税額のほうが多い場合には、その差額は還付されるのよ

ここまで知っていると信頼される！

●課税売上高が一定金額以下なら簡便な計算方法も使える

消費税の納税額を計算するためには、預かった消費税額と支払った消費税額をそれぞれ集計する必要があります。

このように、実際の消費税額を集計しその差額から納付する消費税額を算出する方法を「原則課税」といいます。

この作業は非常に手間が掛かります。そこで、基準期間の課税売上高が 5,000 万円以下の事業者であれば、消費税の納税額をもっと簡単に計算する方法が認められています。

これを「簡易課税」といいます。

何が「簡易」になるんだろう

この簡易課税では、原則課税では必須だった支払った消費税額の集計をする必要がありません。

預かった消費税額に「一定の割合」を掛けた金額を支払った消費税額とみなして納付する消費税額を計算するのです。

この「一定の割合」を「みなし仕入れ率」といいますが、この割合は、5 つのグループに分けられた「事業区分」ごとに定められています[＊1] (→ 172 ページ「簡易課税制度の事業区分」参照)。

＊1 平成 27 年 4 月 1 日以後に開始する課税期間から 6 つの事業区分となります。

不動産賃貸業の場合はどの区分？

一般的な不動産業（賃貸、管理、仲介など）は、第五種事業になります。

第五種事業のみなし仕入率は、50％。つまり、実際に支払った消費税額にかかわらず、預かった消費税額の 50% を支払った消費税額として納付する消費税額を計算することができるのです。

●簡易課税で大損をすることもあるので注意を！

実は、不動産賃貸業というのは、預かった消費税額に比べると支払った消費税額はかなり少ない場合が多いものです。

その点から、不動産賃貸業の場合、みなし仕入れ率を 50% として計算ができる簡易課税制度を選択したほうが、原則課税で計算をするよりも納付する消費税額が少なくてすむことが多いといえます。

計算も簡便で納付税額も少なくてすむのであれば、適用可能な限り、簡易課税を常に選択すべきであると考えるかもしれません。

しかし、簡易課税というのは、実際に支払った消費税額は一切考慮しないということでもあるのです。

それのどこが問題なんだろう？

多額の設備投資をした場合など、実際に支払った消費税額が高額となった場合には、原則課税を採用しておいたほうが

◎簡易課税が必ずしも有利とは限らない

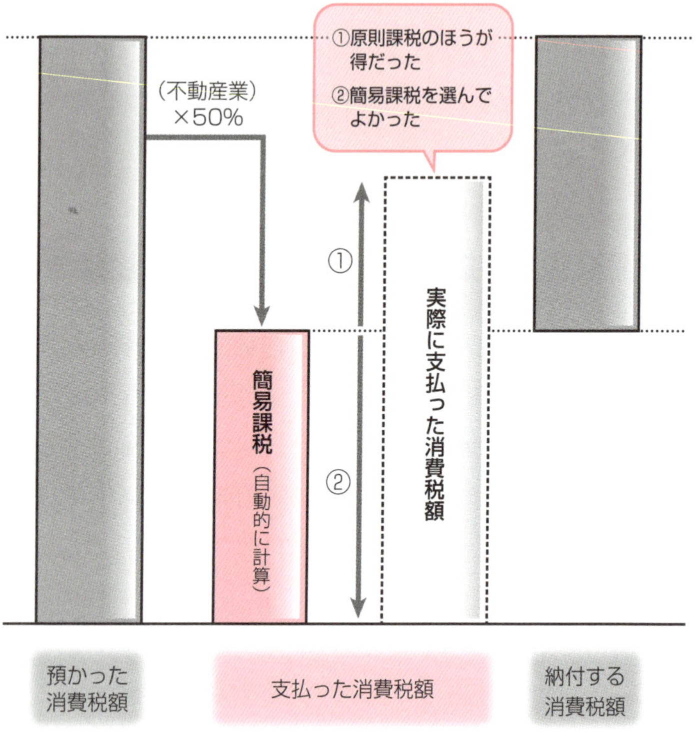

簡易課税は、支払った消費税額を預かった消費税額から自動的に計算するの。実際に支払った消費税額は一切考慮しないから、設備投資などで多額の消費税を支払ったときには不利になることもあるわ

有利であったということもあります。

大規模な事業用のビルを建築した場合など、本来であれば多額の消費税の還付が受けられるはずだったものが、簡易課税を選択してしまったことで、還付が受けられないばかりか消費税を納税しなくてはならないということもあるわけです。

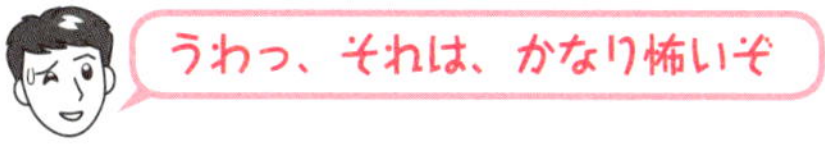

なお、この簡易課税を選択する場合も、簡易課税の選択を取りやめる場合も、原則として対象となる事業年度が始まる前にそれぞれの届出書を税務署に提出しておく必要があります。

また、この簡易課税制度を一度選択すると、二年間は適用する必要があります。

つまり、事前にその期間を通じての損得を考えながら、簡易課税の選択やその取りやめを検討しなくてはならないので、その取扱いには十分な注意が必要なのです。

さらに詳しくなるための参考資料

●科目別消費税課税・対象外判定表

科目	課税	非課税	対象外
賃貸料収入（建物：居住用）	―	●	―
賃貸料収入（建物：事業用）	●	―	―
賃貸料収入（土地：更地）	―	●	―
賃貸料収入（土地：設備等あり）	●	―	―
賃貸料収入（土地：１カ月未満の短期貸付）	●	―	―
保証金、権利金、更新料 （返還しないもの。事業用建物）	●	―	―
保証金、権利金、更新料 （返還しないもの。居住用建物）	―	●	―
保証金、敷金 （返還するもの）	―	―	●

●簡易課税制度の事業区分

事業区分	主な事業	みなし仕入率
第一種事業	卸売業	90%
第二種事業	小売業	80%
第三種事業	農業、林業、漁業、建設業、製造業など	70%
第四種事業	第１～３、５種事業以外。 飲食業、金融業など	60%
第五種事業	不動産業、サービス業など	50%

（注）平成27年4月1日以後に開始する課税期間から、金融および保険業は第五種事業（みなし仕入率50%）、不動産業は第六種事業（みなし仕入率40%）となる予定です。

●消費税の納税義務

次のいずれかの場合に、消費税の納税義務が発生します。

① 基準期間における課税売上高が1,000万円超 基準期間：個人の場合は原則として前々年、法人の場合は原則として前々事業年度
② 特定期間における課税売上高と給与等支払総額がともに1,000万円超 特定期間：個人の場合は前年の1月1日から6月30日までの期間、法人の場合は原則として前事業年度開始の日以後6カ月の期間
③ 資本金の額等が1,000万円以上
④ 適用を受けようとする課税期間の初日の前日まで（事業開始時には、その課税期間中）に「課税事業者選択届出書」を所轄税務署に提出

●簡易課税の適用要件

次の要件をいずれも満たす必要があります。

① 簡易課税制度を適用しようとする課税期間の開始の日の前日までに「消費税簡易課税制度選択届出書」を所轄税務署に提出すること
② 基準期間における課税売上高が、5,000万円以下であること

まとめ

◎居住用建物の賃貸料の消費税は非課税。事業用建物の賃貸料の消費税は課税

◎前々期の課税売上高が1,000万円以下の場合には、原則として消費税の納税義務なし

◎免税事業者は消費税の還付が受けられないので、多額の設備投資をするときは、あえて課税事業者を選択することも

◎ただし、あえて課税事業者を選択した場合には、最低2年間適用し続けなくてはいけない

◎前々期の課税売上高が5,000万円以下であれば、支払った消費税を預かった消費税の一定割合として計算する簡易課税制度を選択できる

◎ただし、簡易課税制度を一度選択すると最低2年間適用し続けなくてはいけない

第3章

不動産を譲渡したときの税金

●不動産の譲渡にかかわる税金

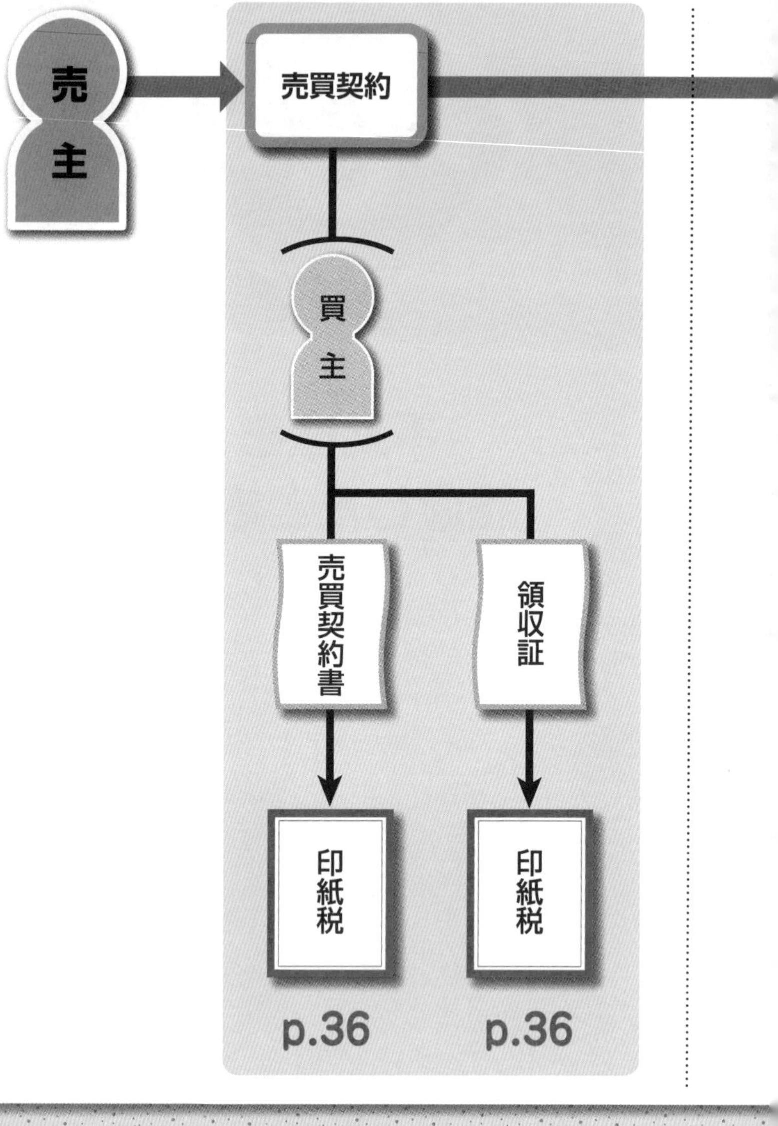

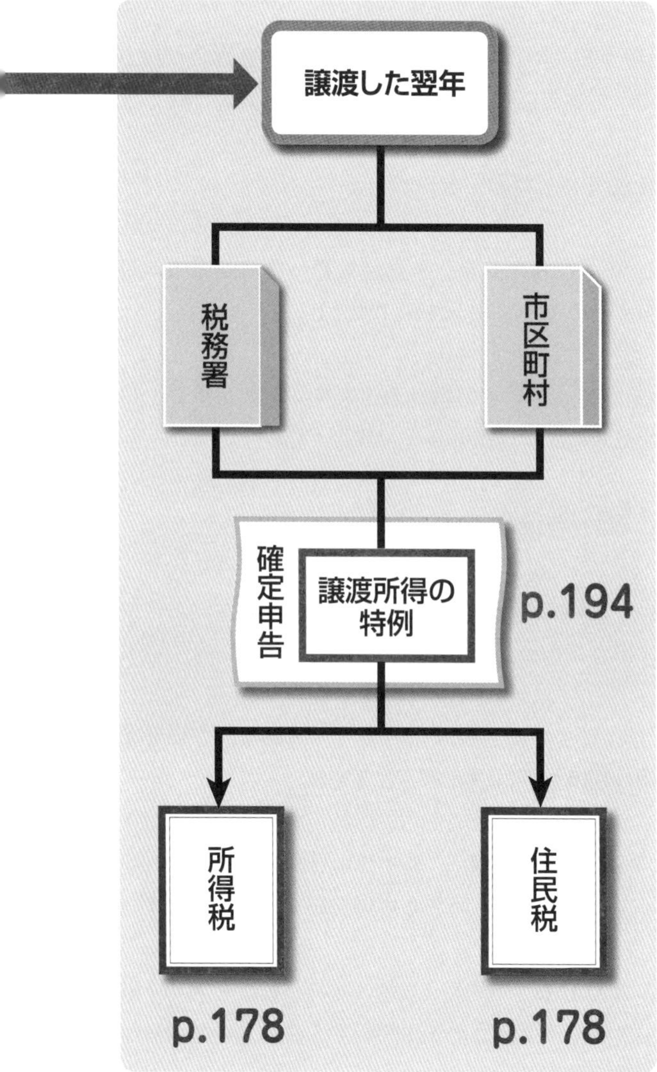
譲渡した翌年
税務署
市区町村
確定申告
譲渡所得の特例
p.194
所得税
住民税
p.178
p.178

ダイアローグ

⑪不動産を譲渡したときの所得税・住民税

売ったら必ず税金は掛かるの!?

：「不動産って、買うときも持っているときも税金が掛かる上に、売ったときにも税金を支払うんですよね。」

：「必ずしもそうとは限らないわよ。」

：「えっ、そうなんですか。不動産を売ったら譲渡所得税という税金が掛かるって聞いたんですけど。」

：「不動産を売ったときの儲けのことを『譲渡所得』というんだけど、その所得に所得税と住民税が掛かるのよ。」

：「へえ、儲かったときだけですか。」

：「そうよ。不動産を売って損をしたのであれば、所得税や住民税は掛からないわよ。」

：「なんだ、税金が掛からないのなら、不動産は、損をするように売ったほうがいいってことですね。」

：「なんでよ、もう（苦笑）。損するより儲かったほうがいいに決まってるじゃない。わざわざ損をしてどうするのよ。」

：「はあ、そりゃそうですね。でも、その不動産を売って儲かった、損をしたってどうやって判断するのかよくわからないんですけど。」

:「一言で説明すれば、買った値段より高く売れれば儲かった、安くしか売れなかったら損をしたということ。この点は、不動産であっても他の商品と変わらないわ。」

:「なんだ、簡単じゃないですか！」

:「ただ、不動産の譲渡所得や税金の計算は複雑だし、いろいろな特例や例外があるから注意が必要よ。」

:「はあ、やっぱり大変だなあ。」

:「だから、お客様から不動産の譲渡の税金について質問があったときには、必ず税理士さんに確認を取ってね。」

:「わかりました！」

:「喜んだり嘆いたり忙しい人ね（笑）。いずれにしても、どんなときにどれくらいの税金が掛かるのかという仕組みは知っておかないと。」

:「お客様から相談があったら、すぐ税理士さんを紹介すればいいような気もしますけど。」

:「そうじゃないわ。お客様に信頼されるには、お客様の特殊事情や優先順位などを専門家に的確に伝える『通訳』にならないといけないの。そのためにも、税金の計算上、何が重要なのかを判断できるようになってもらわないとね。まずは譲渡したときの課税の仕組みだけど……」

11 不動産を譲渡したときの所得税・住民税

★これを知らないと恥ずかしい……

●不動産の譲渡所得の計算方法

個人であれ法人であれ、土地や建物などの不動産を売却し、利益が出た場合には税金がかかります。

この利益は、法人であれば本業の利益などと合算された上で、法人税等が課税されます。

個人であれば、不動産を売却した際の利益である「譲渡所得」に、所得税と住民税が課税されるのです。

なお、不動産賃貸による不動産所得や事業を行ったことによる事業所得、給与所得などは合算をして所得税等の計算がされる「総合課税」であるのに対し、不動産の譲渡所得は、原則としてその他の所得とは合算されることはなく、別枠で所得税等の金額が計算されます。

これを「分離課税」といいます。

譲渡所得の金額はどうやって計算するんだろう

不動産の譲渡所得の金額は次のように計算されます。

譲渡所得 ＝ 譲渡対価 －（取得費 ＋ 譲渡費用）

不動産の譲渡所得というのは、一言でいえばその不動産を買ったときよりも高く売れたときの利益ということです。

ですから、売ったときの価額から買ったときの価額を差し引き、さらに売るときにかかった仲介手数料や印紙税等の諸経費を譲渡費用として差し引くことで計算がされるのです。

商品を売ったときと同じ考え方なんだな

「譲渡対価」とは、不動産の売却価額のことですが、この譲渡対価には固定資産税の精算として受け取った金額も含みます（→112 ページ以降参照）。

一方、「取得費」には、売却した不動産の購入代金はもちろん、原則として購入の際に支払った仲介手数料や登記費用などの諸経費も含まれます（→50 ページ以降参照）。

しかし、必ずしも購入時に支払った金額がそのまま取得費になるわけではありません。

土地については、購入時に支払った金額がそのまま取得費となりますが、建物については購入時に支払った金額そのものではないのです。

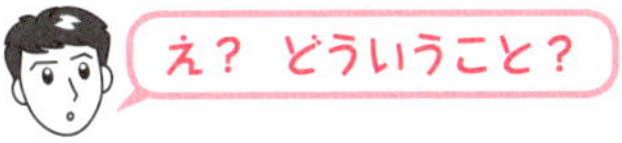
え？ どういうこと？

その建物が、賃貸用や事業用だった場合、建物の「取得価額」のうち、時の経過による価値の目減り分は減価償却費として既に不動産所得等の計算上、控除がされています（→133 ページ参照）。

建物を譲渡した際の所得の計算上、取得価額をそのまま譲渡対価から差し引くと、結果的に減価償却費を不動産所得等と譲渡所得について、二重に差し引くことになってしまいます。

そこで、建物については、取得価額からこれまでの減価償却費相当額を差し引いた金額を取得費とするのです。＊1

＊1 個人の場合、実際に減価償却費を必要経費に算入していたかにかかわりなく、時の経過に応じた減価償却費相当額が取得価額から差し引かれます。

じゃあ、自宅はどうなるんだろう

なお、マイホームのように業務に使われていなかった建物の場合、減価償却費は必要経費とはされていませんが、単に「控除する所得がなかった」ものとされ、取得費の計算上は差し引かれます。

ただし、賃貸用や事業用よりは価値の目減りが少ないと考えられるので、本来の法定耐用年数を1.5倍した耐用年数に応じた償却率をもとに定額法で償却費を計算します。

その上で使用していた期間の償却費の合計額（「減価の額」といいます）を求め、その金額を取得価額から差し引くのです。

つまり、建物の取得費は次の計算式となります。

建物の取得費 ＝ 取得価額 － 減価償却費相当額または減価の額

◎建物の取得費は買ったときの価額のままではない

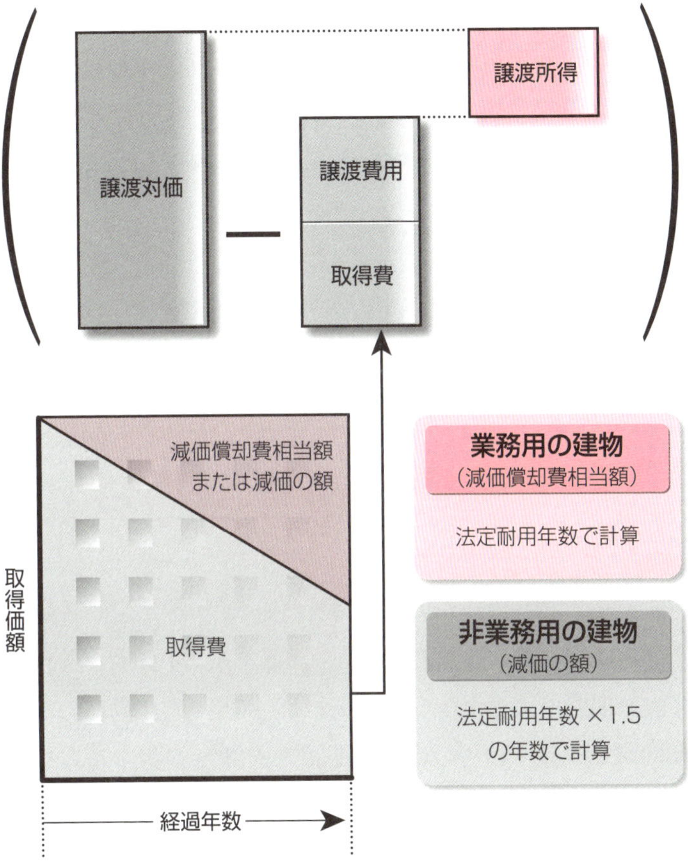

建物の取得費は、取得価額から時の経過に応じて徐々に減っていくのよ

譲渡所得にかかる税金ってどのくらいなんだろう

譲渡所得に対しては所得税と住民税が課税されます。

さらに、平成25年から平成49年までは所得税に対して2.1％の復興特別所得税が別途課税されます。

つまり、譲渡所得に対する税金は次の3つの計算式で求められた金額の合計額となるのです。

所得税 ＝ 譲渡所得 × 所得税率

住民税 ＝ 譲渡所得 × 住民税率

復興特別所得税 ＝ 所得税 × 2.1％

税率はどのくらいなんだろう？

譲渡所得に対する税率は、その譲渡をした不動産を所有していた期間により大きく異なります。売却した不動産の所有期間が5年以下のものは「短期譲渡所得」、5年を超えるものは「長期譲渡所得」と区分され、税率は次のようになります。

譲渡所得の区分	所得税率	住民税率
短期譲渡所得	30%	9%
長期譲渡所得	15%	5%

ただし、不動産の譲渡所得については、後で説明する「譲渡の特例」も含め、その所有期間は譲渡した年の1月1日時点で判定をするので注意が必要です。

●不動産を売却して損が出た場合

不動産所得や事業所得などは、損失が出た場合には一定のルールのもとで給与所得などの他の所得と相殺がされます。これを「損益通算」と言います。

しかし、不動産の譲渡については、特別な場合（→ 202 ページ以降参照）を除き、原則として、その損失は他の所得と相殺をすることはできません。

ただし、同じ年に複数の不動産を売却し、その中に損失の出たものと利益が出たものがあれば、それらを相殺することは可能です。

ここまで知っていると信頼される！

●相続により取得した不動産の譲渡の特例

相続によって取得した不動産を譲渡した場合には、「取得した日」と「取得費」はどのように考えればよいのでしょうか。

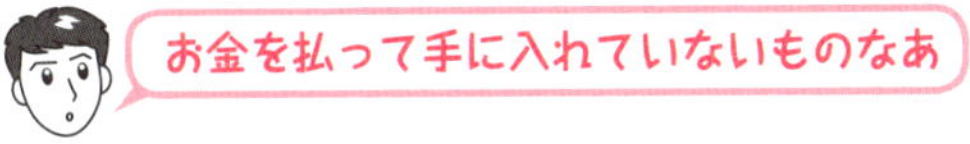

取得した日は、相続人が相続をした日であり、取得に要し

た費用は０となるようにも思えます。

しかし、譲渡所得の計算上、相続や贈与により取得をした不動産の取得した日と取得費は、亡くなった人（「被相続人」といいます）や贈与した人が取得した日と取得費を相続人や贈与を受けた人が引き継ぐことになるのです。

なお、多額の不動産を相続したために相続税が発生し、その納税のために相続した不動産を手放さなくてはならないこともあるでしょう。

相続税の納税のために不動産を譲渡したのに、譲渡所得があれば、やはり所得税等が掛かることになってしまいます。

それじゃ踏んだり蹴ったりだよ

さすがに通常通りの所得税等を課すのは酷だという考えから、相続税の申告期限から３年以内に相続により取得した不動産を売却した場合には、納税をした相続税のうち一定金額を取得費に加算できる特例もあります。これを「相続税の取得費加算」といいます。

その取得費に加算できる相続税は、建物については、その人が納税した相続税のうち譲渡をした建物のみに対応する金額ですが、土地については、譲渡をした土地だけではなく相続をした土地全体に対応する金額が控除できるのです。[*1]

相続税の取得費加算は土地のほうが有利になっているのか

＊1　平成27年1月1日以後に開始する相続により取得した資産の譲渡から、土地について取得費に加算できる相続税額も建物と同様に譲渡した土地のみに対応する金額となります。

●取得費などがわからない場合

相続での取得や古くから所有している不動産は、いくらで買ったかわからない場合も少なくはありません。

その場合には、譲渡対価の5%を取得費として譲渡所得の金額を計算することができます。

◎取得費は譲渡対価の5%で代用も

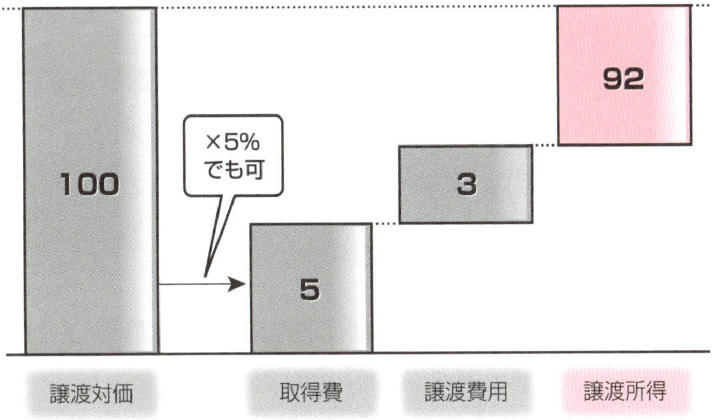

古くから所有する不動産だと買ったときの価額がわからないというケースも多いの。そんなときには取得費を譲渡対価の5%としてもいいのよ

例えば3,000万円で売却した土地であればその5%である150万円が取得費になるわけです。

この計算方法は、購入価額などがわからない場合だけでなく、実際の取得費よりも譲渡対価の5%のほうが大きい場合に、有利な方を選択することも可能です。

土地建物の区分がわからないときはどうすればいいんだ？

土地と建物を一括で購入した場合、契約書にそれぞれの金額が区分されていないこともあります。

契約書に消費税の金額が記載されていれば、そこからそれぞれの取得価額を逆算する方法（→29ページ参照）もありますが、消費税額の記載もないことも多いでしょう。

このような場合には、「建物の標準的な建築価額表」（→191～192ページ参照）から建物の取得価額を計算することが認められています。

なんだろう、それ？

建物の標準的な建築価額とは、建物の構造や建築年ごとに1平方メートルあたりの標準的な建築価額を定めたもので、それに床面積を掛けることで、当時の建物の取得価額を想定することができます。

> 建物の取得価額 ＝
> 建物の標準的な建築価額 × 建物の床面積

この建物の取得価額とされた金額を、全体の購入価額から差し引くことで土地の取得価額の計算もできます。

さらに、上記の算式で求めた建物の取得価額から減価償却費相当額ないし減価の額を差し引けば、建物の取得費を計算することができるのです。

申告や納税はどうするんだろう

不動産を譲渡して譲渡所得が発生した場合には、譲渡した翌年の2月16日から3月15日までに確定申告を行い、所得税を納税しなくてはなりません。

ただし、譲渡により損失が出た場合には、原則として申告は必要ありません。

さらに詳しくなるための参考資料

●取得費の例

- 不動産の購入代金、建築代金
- 取得するために支払った仲介手数料・契約書への印紙代
- 登記費用（登録免許税、司法書士報酬など）
- 不動産取得税
- 借主がいる不動産を購入する際に支払った立退料
- 土地の埋立てや地ならし等の造成費用など

●譲渡費用の例

- 譲渡するために支払った仲介手数料
- 契約書への印紙代
- 借主がいる不動産を売却する際に支払った立退料
- 土地を売却する際に、その土地の上にある建物の取壊し費用
- 借地権を売却する際、地主に支払った名義書換料など

●相続税の取得費加算の主な適用要件

- 相続などによって財産を取得した者であること
- その財産を取得した人に相続税が課税されていること
- その財産を相続開始後相続税の申告期限から３年以内に譲渡していること

（注）詳細は国税庁タックスアンサーNo.3267「相続財産を譲渡した場合の取得費の特例」を確認してください。

● 建物の標準的な建築価額表（単位：千円／㎡）

構造／建築年	木造・木骨モルタル	鉄骨鉄筋コンクリート	鉄筋コンクリート	鉄骨
昭和40年	16.8	45.0	30.3	17.9
41年	18.2	42.4	30.6	17.8
42年	19.9	43.6	33.7	19.6
43年	22.2	48.6	36.2	21.7
44年	24.9	50.9	39.0	23.6
45年	28.0	54.3	42.9	26.1
46年	31.2	61.2	47.2	30.3
47年	34.2	61.6	50.2	32.4
48年	45.3	77.6	64.3	42.2
49年	61.8	113.0	90.1	55.7
50年	67.7	126.4	97.4	60.5
51年	70.3	114.6	98.2	62.1
52年	74.1	121.8	102.0	65.3
53年	77.9	122.4	105.9	70.1
54年	82.5	128.9	114.3	75.4
55年	92.5	149.4	129.7	84.1
56年	98.3	161.8	138.7	91.7
57年	101.3	170.9	143.0	93.9
58年	102.2	168.0	143.8	94.3
59年	102.8	161.2	141.7	95.3
60年	104.2	172.2	144.5	96.9
61年	106.2	181.9	149.5	102.6
62年	110.0	191.8	156.6	108.4
63年	116.5	203.6	175.0	117.3
平成元年	123.1	237.3	193.3	128.4
2年	131.7	286.7	222.9	147.4
3年	137.6	329.8	246.8	158.7
4年	143.5	333.7	245.6	162.4
5年	150.9	300.3	227.5	159.2
6年	156.6	262.9	212.8	148.4

建築年＼構造	木造・木骨モルタル	鉄骨鉄筋コンクリート	鉄筋コンクリート	鉄骨
7年	158.3	228.8	199.0	143.2
8年	161.0	229.7	198.0	143.6
9年	160.5	223.0	201.0	141.0
10年	158.6	225.6	203.8	138.7
11年	159.3	220.9	197.9	139.4
12年	159.0	204.3	182.6	132.3
13年	157.2	186.1	177.8	136.4
14年	153.6	195.2	180.5	135.0
15年	152.7	187.3	179.5	131.4
16年	152.1	190.1	176.1	130.6
17年	151.9	185.7	171.5	132.8
18年	152.9	170.5	178.6	133.7
19年	153.6	182.5	185.8	135.6
20年	156.0	229.1	206.1	158.3
21年	156.6	265.2	219.0	169.5
22年	156.5	226.4	205.9	163.0
23年	156.8	238.4	197.0	158.9
24年	157.6	223.3	193.9	155.6

●非業務用建物（居住用）の減価の額

減価の額（注1）＝建物の取得価額×0.9×償却率×経過年数（注2）

（注1）建物の取得価額の95%を限度とします。
（注2）経過年数が6カ月以上の端数は1年とし、6カ月未満の端数は切り捨てます。

建物の構造別の償却率

区分	木造	木骨モルタル	（鉄骨）鉄筋コンクリート	金属造①（注3）	金属造②（注4）
償却率	0.031	0.034	0.015	0.036	0.025

（注3）金属造①骨格材の肉厚が3㎜以下の軽量鉄骨造
（注4）金属造②骨格材の肉厚が3㎜超4㎜以下の軽量鉄骨造

まとめ

◎不動産の譲渡益については、譲渡対価－（取得費＋譲渡費用）＝譲渡所得として、他の所得とは別建てで所得税等が課税される

◎建物の取得費は、取得価額から経過年数に応じた減価償却費相当額または「減価の額」を控除した金額

◎不動産を譲渡したときの損失は原則として、他の所得と通算（相殺）はできない

◎ただし、不動産の譲渡所得と譲渡損失同士の通算は可能

◎相続・贈与により取得した不動産は、被相続人の取得日、取得費を引き継ぐ

◎相続税の申告期限から３年以内に相続した不動産を譲渡した場合、相続税の一部を取得費に加算できる

◎取得費がわからない場合には、譲渡対価の５%を取得費とすることができる

⑫居住用不動産を譲渡したときの特例

ダイアローグ

マイホームの譲渡は「えこひいき」される!?

:「不動産を売却して、利益が出たら、譲渡所得税と住民税を支払わなくてはいけないことは理解できたわよね。」

:「はい。要するに買った値段よりも高い値段で売れたときには、その儲けについて税金が掛かるということですよね。」

:「そういうこと。ただ、この不動産の譲渡所得税の計算には、本来の金額よりも税金を安くしてあげましょうという制度がいくつもあるの。」

:「へえ、お上もいいところありますね。でも、なんでわざわざ税金を安くしてくれるんですか？　譲渡所得税は人気がないからだったりして。ハハハ」

:「なによ、税金の人気って（苦笑）。簡単に言うと『弱者救済』と『ご褒美』ってことかな。その中でも私たちがよくお客様から質問されるのが、『居住用不動産譲渡の3,000万円控除』。よく覚えておいてね。」

:「3,000万円控除？　税金を3,000万円引いてくれるんですか？」

:「惜しいけどちょっと違うわ。これはマイホームを売ったときに利益が上がっていたとしても、その譲渡所得から最大で3,000万円まで控除をして譲渡所得税を計算しても良いという仕組みのことよ。」

:「税金を3,000万円控除できるのではなく、譲渡所得を3,000万円少なくして税金を計算できるんですね。」

:「そういうこと。このほかにも一定の条件を満たしたマイホームを譲渡した場合には、いくつか税金の軽減措置があるのよ。」

:「へえ、どんなものですか？」

:「例えば、マイホームを買い換えたときには、譲渡所得についての課税を後回しにしたり、損をしてしまったときにも通常ならできない他の所得との相殺やその損失を翌年以降に繰り越すことができたりとか。」

:「自宅の譲渡って税金上は有利になっているんですね。そんなに有利だったら僕もマイホームを買おうかな〜。」

:「ほら。そういう人が増えることを国は期待しているわけ。」

:「う〜ん。『敵ながら』見事な作戦だ。」

:「いつから、国があなたの敵になったのよ、もう。税金のために家を買おうというのもどうかとは思うけど、お客様にとって有利な制度であることは間違いないから、きっちりとアナウンスできるようにしておいてね。」

12 居住用不動産を譲渡したときの特例

★これを知らないと恥ずかしい……

●自宅を譲渡した場合には いくつかの税金の軽減措置がある

不動産を譲渡し、利益が出た場合には、その利益は譲渡所得として所得税・住民税が掛かります。

しかし、譲渡した不動産が自らの居住用、つまり自宅である場合には、それらの税金についていくつかの軽減措置があるのです。

あえて自宅を譲渡するというのは、新たに自宅を購入するか、何らかの理由でお金が必要となった場合が多いでしょう。

これらのときに、通常通りの税金を課してしまうと、譲渡対価からの手取り金額が減ってしまい目的が果たせないであろう、という配慮からこれらの軽減措置がなされているのです。

主な居住用の不動産の譲渡の特例措置について、一つずつみていくことにしましょう。

●居住用不動産譲渡の3,000万円控除

自分が住んでいる建物の譲渡と、あわせて行われたその敷

地の譲渡については、譲渡所得から3,000万円を控除することができます。

この「居住用不動産譲渡の3,000万円控除」の特例は、一人につき最大で3,000万円の控除が可能です。

例えば、夫婦で1/2ずつ共有していた自宅を譲渡し、8,000万円の譲渡所得があった場合、それぞれ譲渡所得は4,000万円（8,000万円×1/2）となります。

この場合には、夫婦それぞれが3,000万円の控除が可能なので、結果的に譲渡益から6,000万円もの控除が可能になるのです。

また、この特例は、所有期間の長短に関わりなく適用することも可能です。

ただし、自宅についての課税の特例は他の軽減措置も含め、親族間や自分がオーナーである会社への譲渡などでは適用がされないので注意が必要です。

なお、この居住用不動産譲渡の3,000万円控除の特例は、確定申告をすることではじめて適用がされます。

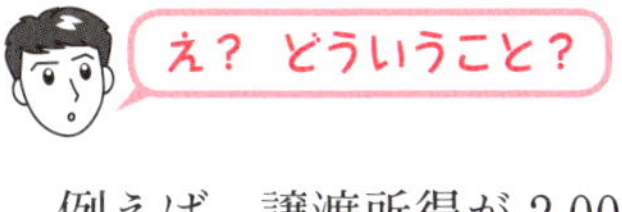

例えば、譲渡所得が2,000万円でこの3,000万円控除を適用すれば譲渡所得が0になる場合であったとしても、確定申告をする必要があるのです。

●居住用不動産譲渡の軽減税率

所有期間が10年超である一定の要件を満たす自宅を譲渡した場合には、譲渡所得について、通常の税率よりも低い税率が適用されます。

所有期間が5年超の長期譲渡所得についての通常の税率は、一律で所得税15%、住民税5%ですが、所有期間が10年超の自宅を譲渡した場合には、その譲渡所得の金額が6,000万円までの部分については、所得税10%、住民税4%に軽減されるのです。

逆に言うと6,000万円を超えたら通常通りなのか

なお、この「軽減税率」の特例と先に説明をした「3,000万円控除」は一緒に適用をすることが可能です。

つまり、所有期間が10年超で一定の要件を満たした自宅を譲渡した場合には、譲渡所得から3,000万円を控除した金額について、下記のように課税がされるということです。[*1]

6,000万円までの部分	14%（所得税10%、住民税4%）
6,000万円超の部分	20%（所得税15%、住民税5%）

＊1 この他に基準所得税×2.1%の復興特別所得税がかかります。

●居住用不動産の買換特例

ある要件を満たした（→207ページ「『居住用不動産の買

換特例』の主な適用要件」参照）自宅を譲渡した上で新たに自宅を取得した場合、一定の金額まで「譲渡所得をなかったものとする」ことができます。この特例を「居住用不動産の買換特例」といいます。

譲渡がなかったものとするってどういう意味だろう？

例えば、自宅を 5,000 万円で譲渡し、新たに 6,000 万円の自宅を購入したとします。

この譲渡対価 5,000 万円はすべて新しい自宅の購入に充てられており、手許にお金は残らないことになります。

このときに買換特例を利用すれば、譲渡した自宅についての譲渡所得はなかったものとされます。

一方で、自宅を 5,000 万円で譲渡し、新たに 4,000 万円の自宅を購入した場合には、新しい自宅の購入に充てられた 4,000 万円に対応する部分の譲渡所得はなかったものとされます。

結果として譲渡対価のうち手許に残った 1,000 万円に対応した部分の譲渡所得だけに税金が掛かることになるのです。

買換特例は他の軽減措置と一緒に使えるのかな？

この買換特例を適用しても発生した譲渡所得には、居住用不動産譲渡の 3,000 万円控除も居住用不動産譲渡の軽減税率も適用はされません。自宅を譲渡して利益が出たときには、どちらか自分にとって有利なほうを選択する必要があるのです。

この判断をするときに、買換特例について注意しなくてはいけないことがあります。
「譲渡がなかったものとする」というのは、決して新しい自宅の購入に充てられた金額を譲渡所得から控除できるという意味ではないのです。

新しく購入した自宅を将来譲渡するときのことを思い描いてください。実はこのときの譲渡所得の金額には新しく購入した自宅についての譲渡所得だけではなく、買換特例の適用をした際に課税されることのなかった譲渡所得の金額が加算されて課税がされることになっています。

つまり、この買換特例は、税金の課税される時期を将来もう一度自宅を譲渡する時まで延期したというだけのことなのです。

一方、居住用不動産譲渡の 3,000 万円控除を適用した場合であれば、新しく購入した自宅についての譲渡所得のみに課税がされます。

言い換えれば、居住用不動産譲渡の 3,000 万円控除による恩典は「もらいっぱなし」であるのに対して、買換特例による恩典は「いずれ返さなくてはいけない」という大きな違いがあるのです。

◎居住用不動産を譲渡した場合の買換特例

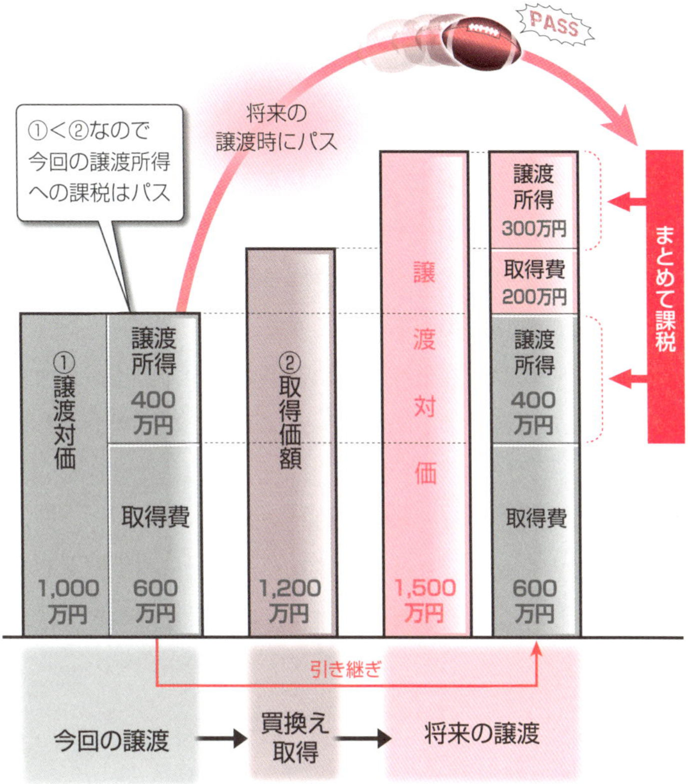

（注）わかりやすく説明するために減価償却費相当額はないものとしています。

自宅を譲渡して得たお金も、新しい自宅の購入に使ってお金はないだろうからと、そのときの譲渡所得への課税を新しい自宅を売ったときまでパスできるということね

ここまで知っていると信頼される！

●自宅を譲渡して損失が出た場合には税金の特例が

ここまでは、自宅を譲渡して利益が出た場合の税法上の恩典についてみてきました。しかし、実際には自宅を譲渡しても赤字となるケースがたくさんあります。

通常であれば、不動産を譲渡した損失は、他の所得と通算はできません。通算ができるのは同じ年に譲渡をした別の不動産の譲渡についての利益のみです。

ですが、中には、住宅ローンの返済が大変で自宅を手放したのに、その対価だけではローンが完済できない場合などもあるでしょう。

このような場合には、不動産の譲渡の損失について、他の所得と通算をしたり、それでも通算しきれない損失があった場合には、翌年以降の所得と相殺したりできる特例もあるのです。

一体どういう場合なら損益通算できるんだろう？

●特定の居住用不動産の譲渡損失の損益通算・繰越控除

所有期間が５年を超える自宅を譲渡した際の損失について、一定の要件を満たす限り（→ 208 ページ「『特定の居住用不動産の譲渡損失の損益通算・繰越控除』の主な適用要件」

参照)、住宅ローンの残高から譲渡対価を差し引いた金額、つまり、自宅を譲渡しても住宅ローンが完済できなかった金額まで、他の所得と通算をし、それでも通算しきれない損失については、翌年以降3年間の所得と相殺をすることができます。＊1

なお、この特例は、必ずしも新たに自宅を購入することを適用要件にしていません。自宅を手放して住宅を借りたとしてもこの特例を受けることは可能です。

●居住用不動産の譲渡損失の損益通算・繰越控除

所有期間が5年を超える自宅を譲渡した際の損失について、新たに住宅ローンで自宅を購入したなどの要件を満たす場合には（→209ページ「『居住用不動産の譲渡損失の損益通算・繰越控除』の主な適用要件」参照)、他の所得と通算をし、それでも通算しきれない損失については、翌年以降3年間の所得と相殺をすることが出来ます。＊1

＊1 いずれの特例も、平成27年12月31日までに譲渡されたものに限ります。

要するにこの特例は、自宅を売却して損失が出たのに、新しく自宅を住宅ローンで購入したような人には、その損失について、他の所得との通算や翌年以降の繰越控除を認めようというものです。

こちらは、譲渡した自宅に住宅ローンの残高が残っている

◎居住用不動産の譲渡損失の特例

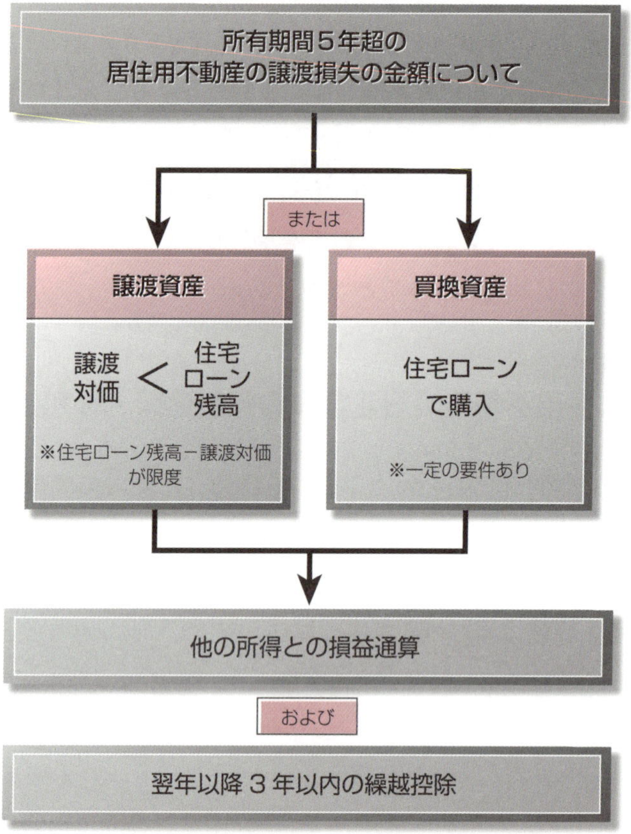

自宅を売ってもその代金では住宅ローンを完済できない場合や新たに住宅ローンで自宅を購入する場合には、自宅の譲渡損失について損益通算や繰越控除が認められているのよ

ことを適用要件にしていません。

つまり、自宅を譲渡して損失が出た際に、

・自宅の譲渡対価では住宅ローンが完済できない場合

・住宅ローンで新たに自宅を購入した場合

には、一定の金額まで、その損失を他の所得と通算したり、翌年以降の所得と相殺したりすることができるということです。

その際には、具体的な適用要件を確認し、満たしているのであれば、きちんと申告をすることで、少しでも税金の負担を減らすようにしましょう。

さらに詳しくなるための参考資料

●「居住用不動産の 3,000 万円控除」の主な適用要件

主な要件
① 自分が住んでいる家屋及びその敷地の譲渡であること
② 譲渡した年の前年及び前々年にこの特例や、居住用不動産の買換特例などを受けていないこと
③ 親族・夫婦間や自分がオーナーの会社への譲渡ではないこと

（注）詳細は国税庁タックスアンサー No.3302「マイホームを売ったときの特例」を確認してください。

●「居住用不動産の譲渡の軽減税率」の主な適用要件

主な要件
① 自分の住んでいる家屋及びその敷地の譲渡であること
② 譲渡した年の前年及び前々年にこの特例を受けていないこと
③ 譲渡した年の 1 月 1 日において、譲渡した家屋や敷地の所有期間が 10 年を超えていること
④ 譲渡した家屋や敷地について居住用不動産の買換特例を受けていないこと
⑤ 親族・夫婦間や自分がオーナーの会社への譲渡ではないこと

（注）詳細は国税庁タックスアンサー No.3305「マイホームを売ったときの軽減税率の特例」を確認してください。

●「居住用不動産の買換特例」の主な適用要件

主な要件
① 譲渡した人の居住期間が10年以上、かつ、譲渡した年の1月1日において、譲渡した家屋や敷地の所有期間が10年を超えること
② 平成27年12月31日までに譲渡すること
③ 譲渡対価が1億円以下であること
④ 買い換えた家屋は、居住用の床面積が50平方メートル以上であること
⑤ 親子・夫婦間や自分がオーナーの会社への譲渡ではないこと

ただし、譲渡資産に対して、次の特例の適用を受けている場合には、この買換特例を受けることはできません。

併用不可の特例
① 居住用不動産譲渡の3,000万円の特別控除
② 居住用不動産譲渡の軽減税率の特例
③ 居住用不動産の譲渡損失についての損益通算・繰越控除の特例
④ 特定の居住用不動産の譲渡損失の損益通算・繰越控除の特例

（注）詳細は国税庁タックスアンサーNo.3355「特定のマイホームを買い換えたときの特例」を確認してください。

●「特定の居住用不動産の譲渡損失の損益通算・繰越控除」の主な適用要件

主な要件
① 譲渡した年の1月1日において、譲渡した自宅（家屋とその敷地）の所有期間が5年を超えていること
② 平成27年12月31日までに譲渡すること
③ 譲渡したマイホームの売買契約日の前日において、そのマイホームに係る償還期間10年以上の住宅ローンの残高があること
④ マイホームの譲渡対価が、上記住宅ローンの残高を下回っていること
⑤ 親子・夫婦間や自分がオーナーの会社への譲渡ではないこと
⑥ 繰越控除をする場合、その年の合計所得金額が3,000万円以下であること

（注1）詳細は国税庁タックスアンサーNo.3390「住宅ローンが残っているマイホームを売却して譲渡損失が生じたとき（特定のマイホームの譲渡損失の損益通算及び繰越控除の特例）」を確認してください。

（注2）この特例と住宅ローン控除（92ページ以降参照）は併用できます。

●「居住用不動産の譲渡損失の損益通算・繰越控除」の主な適用要件

主な要件
① 譲渡した年の１月１日において、譲渡した自宅（家屋とその敷地）の所有期間が５年を超えていること
② 買換資産を取得した年の 12 月 31 日において、買換資産について償還期間 10 年以上の住宅ローンを有すること
③ 買換資産を取得した年の翌年 12 月 31 日までの間に、居住の用に供すること。または、その見込みであること
④ 親子･夫婦間や自分がオーナーの会社への譲渡ではないこと
⑤ 繰越控除をする場合、その年の合計所得金額が 3,000万円以下であること

（注 1）詳細は、国税庁タックスアンサー No.3370「マイホームを買い換えた場合に譲渡損失が生じたとき（マイホームを買い換えた場合の譲渡損失の損益通算及び繰越控除の特例）」を確認してください。

（注 2）この特例と住宅ローン控除（92 ページ以降参照）は併用できます。

まとめ

◎自分が住んでいる家屋とその敷地を売却した場合、譲渡益から 3,000 万円控除できる特例あり

◎共有の場合、所有者それぞれが 3,000 万円の特別控除が受けられる

◎ただし、親族などへの売却の際には特例の利用は不可

◎所有期間 10 年を超える一定の自宅を売却した場合には、軽減税率がある

◎所有期間 10 年超の一定の自宅を買い換えた場合には、買った代金分まで譲渡はなかったとして税額を計算する特例あり

◎所有期間 5 年超の自宅を譲渡した場合の譲渡損は、譲渡代金で住宅ローンを完済できない金額まで、他の所得と通算（相殺）及び翌年以降に繰り越す特例あり

◎所有期間 5 年超の自宅を譲渡し、住宅ローンで買い換えた場合には、その譲渡損を他の所得と通算（相殺）および翌年以降に繰り越す特例がある

第4章

不動産を
相続・贈与したときの
税金

●不動産の相続にかかわる税金

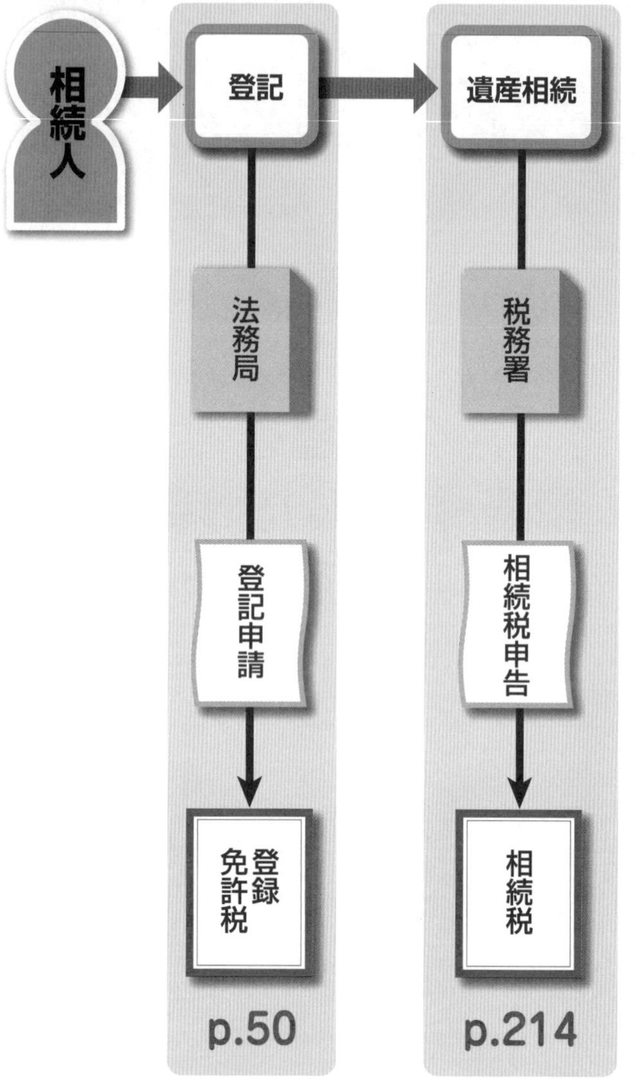

●不動産の贈与にかかわる税金

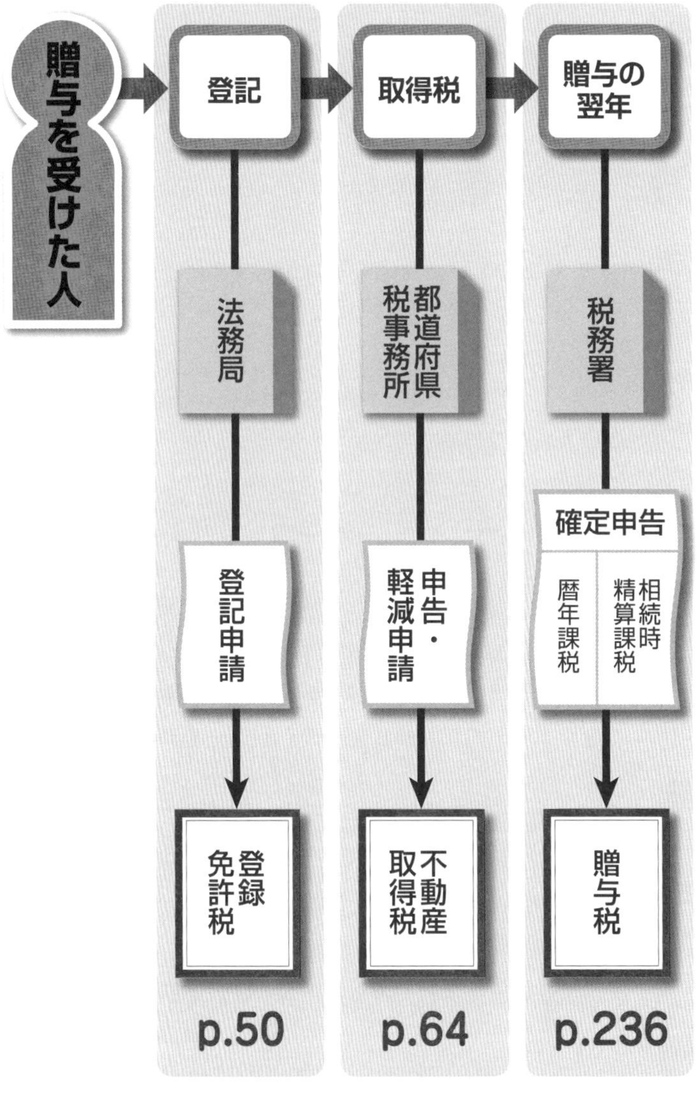

ダイアローグ

⑬相続した遺産に対する相続税

意外と掛からないが資産家には大問題

：「お客様から、相続税を節税するために、土地を有効活用したいというご相談をいただいたんです。」

：「そうなの。それは責任重大ね。」

：「でも、土地を有効活用するとなんで相続税の節税になるのか、全くわからないんですよ。」

：「う～ん。それじゃあ、相続税の仕組みから理解してもらわないといけないわね。」

：「はい、教えてください！　よろしくお願いします。」

：「めずらしく素直じゃない。まず、相続税というのは、亡くなった人の『遺産の総額』に対して掛かるものなんだけど、これは、現金や土地のようなプラスの財産の総額から、借金のようなマイナスの債務の総額を差し引いた金額なの。」

：「ほう。財産から借金を差し引くんですね。」

：「ただ、遺産の総額がすべて相続税の対象になるわけじゃないわ。『基礎控除』というのがあって、遺産の総額がこの基礎控除を超えた金額のみが相続税の課税対象になるのよ。」

：「じゃあ、遺産の総額が基礎控除額以下の人は、相続税は支払わなくていいんですか？」

：「そうね。基礎控除のほかにも、相続税の軽減措置がいくつもあるので、実際には相続税はかなりの資産家だけが対象になる税金なのよね。」

：「じゃあ、財産といってもあのフィギュアくらいしかない僕には相続税は掛からないと。」

：「はぁ？　デスクの上のあのおもちゃが財産って……」

：「失礼な！　あれはマニア垂涎の逸品と言われているのに！」

：「わ、わかったわ、もういいわよ。」

：「じゃあ、お客様にも『相続税なんか気にしなくてもいいですよ』って言ってきます！」

：「ちょっと待ちなさいよ。有効活用を考えるほどの土地をお持ちの方なら多額の相続税の納税負担があることも多いのよ。」

：「やっぱりそうなんですね。」

：「節税も踏まえた上での魅力的な不動産の有効活用には資産家もすごく関心があるはずよ。だから、相続税の仕組みはきちんと理解してね。じゃあ、まずは相続税法上の不動産の評価方法についてだけど……」

13 相続した遺産に対する相続税

★これを知らないと恥ずかしい……

●そもそも相続税の納税が必要なのか？

亡くなった方（「被相続人」といいます）が所有していた財産を「遺産」といい、その遺産をその家族などが引き継ぐことを「遺産相続」と言います。

この遺産相続の対象となった財産の金額が一定額以上になった場合、「相続税」という税金が課されます。

相続税の計算式は非常に複雑で、細かい計算が必要ですが、ここでは大まかな仕組みをみていくことにしましょう。

遺産は、家屋や土地のような不動産、現金や預金、株式などの「プラスの財産」（「資産」といいます）だけではありません。銀行などからの借金や、医療費や水道光熱費などの未払金といった「マイナスの財産」（「債務」といいます）も遺産には含まれます。

相続税の対象となる遺産の金額を計算するには、まずは、このプラスの財産からマイナスの財産を差し引き、さらに葬儀費用も差し引いた金額を求めます。

これをここでは「遺産総額」ということにします。＊1

＊1 亡くなった人から、死亡する３年以内に財産を贈与されている場合には、贈与された財産の評価額を遺産総額に加算します。

この遺産総額すべてに相続税が掛かるわけではありません。あくまでも一定額以上の遺産総額を残した場合に、その「一定額」を超えた部分のみに相続税が課税されるのです。

この一定額を「基礎控除」と言い、遺産総額から基礎控除額を差し引いた金額を「課税遺産総額」と言うのです。

基礎控除ってどれくらいの金額なんだろうか？

基礎控除の金額は、法的に遺産を受け取る権利のある人の人数により異なります。この遺産を受け取る権利のある人を「法定相続人」といいます。

具体的に言うと基礎控除の金額は、次のように計算されます。＊2

> 基礎控除額 ＝
> 5,000 万円 ＋ 1,000 万円 × 法定相続人の数

＊2 平成 27 年 1 月 1 日以降に発生した相続については、基礎控除額は、3,000 万円＋ 600 万円×法定相続人の数となります。

例えば、夫が亡くなり、その妻と二人の子供が法定相続人である場合、平成 26 年中までに発生した相続であれば、5,000 万円＋ 1,000 万円× 3 ＝ 8,000 万円が基礎控除の金額となるわけです。

遺産総額からこの基礎控除を差し引いた金額が、相続税の対象となる課税遺産総額となりますが、この金額が0円以下であれば相続税を納めることも、原則として相続税の申告をする必要もありません。

ちなみに、現行の基礎控除額の水準であれば、実際に相続税の納税をしなくてはならない人は、亡くなった人全体の4% 程度と言われています。

また、平成27年度以降に発生した相続については、基礎控除額は現行の水準の6割に大きく縮減されますが、これにより相続税の納税をしなくてはならない人は、全体の6% 程度になると予想されているのです。

亡くなったらみんな相続税が掛かると思っていたよ

●相続税の金額は2段階で計算される

遺産総額から基礎控除額を差し引いた課税遺産総額がプラスの場合には、相続税を納める必要があります。

この相続税の金額の計算は、大きく分けて2つのステップで行われます。

まずは「相続税の総額」を計算し、そこから「各相続人が納付すべき相続税の金額」を算出していくのです。

さて、「相続税の総額」を計算するには、先に「法定相続分」

の意味を理解する必要があります。

この法定相続分とは、被相続人と法定相続人との関係ごとに法律で定められた各人ごとの「遺産をもらうことのできる割合」のことです。

配偶者、親、子供、兄弟姉妹など被相続人との関係によって、遺産相続をできる優先順位とその際の法定相続分が民法により定められているのです。

実際に各人がどれだけの遺産を相続したかは関係なく、いったんこの法定相続分どおりに課税遺産総額を分けたと仮定してそれぞれ相続税の対象となる金額を計算します。

この金額にそれぞれ定められた税率を掛けた金額を各人の相続税額と仮定した上で、その金額を合算してその被相続人についての納めるべき相続税の総額を求めます（→233ページ「相続税の速算表」参照）。

この相続税の総額に各相続人が実際に取得した遺産の割合を掛けることで「各人が納付すべき相続税額」を計算するのです。＊3

＊3 計算により求められた各人が納付すべき相続税額から、相続人が未成年者や障害者であった場合の「未成年者控除」や「障害者控除」など、事情に応じた控除額を差し引くこともあります。

なんでそんな面倒なことをするんだろう

なぜ、こんな面倒なことをするかというと、相続税は所得税などと同じように対象となる金額が上がるにつれて税率が

◉相続税課税の仕組み

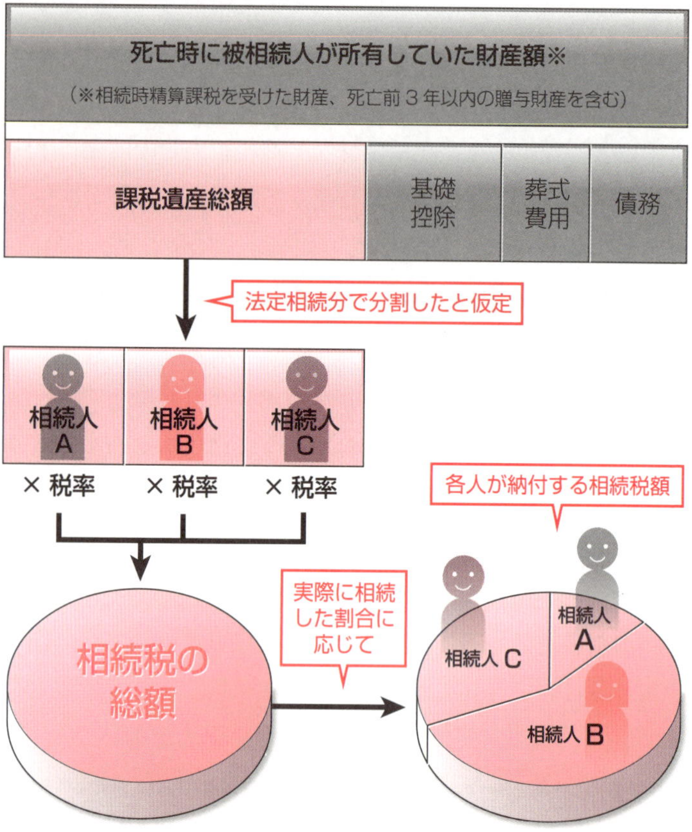

まずは法定相続分に応じて相続したものと仮定して相続税の総額（ケーキの大きさ）を求めてから、各人が実際に相続した割合に応じた相続税（各人のケーキの大きさ）を計算するのよ

上がっていく累進課税であるためです。

というのも、もし、直接実際に相続をした金額に応じて各人の相続税額を計算してしまうと、遺産分割の仕方によって、納めるべき相続税の総額が大きく変わってしまうことになるでしょう。

そこで、法定相続分という勝手に変えることのできない割合で分けたものとしてまずは相続税の総額を求めたのちに、実際に遺産分割により各人が取得した遺産の割合に応じた金額を各人が納付すべき相続税額とすることにしているのです。

●家屋や土地の金額はどのように評価されるのか

では、「プラスの財産」である不動産の金額は、どのように評価されるのでしょうか。

家屋の評価方法は、とてもシンプルです。自分で利用している家屋については、固定資産課税台帳という書類に記載されている家屋の「固定資産税評価額」が、そのまま相続税における評価額になります。

この「固定資産税評価額」は、家屋の場合、実際の価値よりも小さくなっていることが多いといえます。

土地の評価方法は、その土地の所在地によって、異なります。

その土地が市街地にある場合は「路線価方式」という方法が、市街地以外にある場合は「倍率方式」という方法が適用されるのです。

「路線価方式」が適用される土地には、土地自体にではなく、道路に「路線価」という評価額がつけられています。土地の評価額は、その土地が面している道路の路線価に面積を掛けることで求められます。

ただし、土地によっては、二つ以上の道路に面している場合や、入口が狭かったり、奥行きが極端に長かったり、きれいな四角形ではなかったりと、様々な特性があります。

そこで、土地による特性を考慮し、種々の「補正率」を使って、評価額を減らしたり、増やしたりという調整計算をするのです。

実際の相続税の申告や納税の際にはこれらの細かい計算をする必要がありますが、将来相続が発生したときにどれぐらい相続税が掛かるのかを予想する段階では、そこまで詳細な計算は不要です。

まずは、どのように土地が評価されるのかという仕組みを理解しましょう。

なお、すべての道路に路線価が設定されているわけではありません。

市街地以外の宅地や田畑、山林、原野などには路線価は設定されていないので、これらの土地は「路線価方式」では評価できません。

そこで、路線価の設定されていない土地については「倍率方式」という方法を適用します。

「倍率方式」では、その土地の固定資産税評価額に、その土地の地区と種類ごとに定められた倍率をかけて評価額を計算するのです。

この路線価と倍率方式で利用される倍率については、国税庁のホームページで確認することができます。

●自分で利用している不動産と他人に貸している不動産では評価額が違う

自分が利用をしている不動産と、他人に貸している不動産とでは、実は同じ不動産であったとしても評価方法が異なります。

他人に不動産を貸すと、借主も「借地権」や「借家権」といった一定の権利をその不動産に対して有することになります。

この権利があるため、他人に貸した不動産は、簡単に売買したり利用したりすることはできないのです。

そこで、他人に貸した不動産については、借主の借地権や借家権に相当する金額を控除した金額がその不動産の評価額となります。

なお、賃貸用の不動産であったとしても、空室の場合には、それらの借主の権利は存在しないため、自分が利用している不動産として評価されるのです。

え～、空室のほうが評価額は高いのか

借主のいる賃貸用の建物を「貸家」といいます。自分で利用する家屋（「自用家屋」といいます）の場合には、固定資産税評価額が相続税の評価額となりましたが、貸家の場合には、そこから借主の借家権部分の金額が差し引かれます。

この借家権の評価額については、「借家権割合」という、その家屋について借主の持つ権利の割合が定められていますが、例えば東京都では30％とされています。

つまり、貸家の評価額については、次のように計算がされます。

貸家の評価額 ＝ 固定資産税評価額 ×（1－借家権割合）

言い換えれば、一般的に、貸家は自用家屋の70％の金額で評価がされると言うことです。

土地はどうなるんだろう？

他人に貸した土地については、その土地の上に建っている家屋が誰のものなのかにより、評価方法は異なります。

他人に貸した土地の上に建つ家屋がその借主のものである場合は、その土地を「貸宅地」といい、家屋が貸主のものである場合は、その土地を「貸家建付地」といいます。

家屋が借主のものである場合、その土地には借主の「借地権」が存在することになります。

その土地に対して借主の持つ権利の割合を「借地権割合」といいますが、その割合は地区ごとに異なるものの 60 ～ 80% となることが多く、その権利の大きさがうかがえます。

結果として、貸宅地については、自分で利用する宅地（「自用地」といいます）の評価額から借地権部分を差し引いた残りの金額となるのです。

借主のほうが貸主より評価額がずっと大きいのか

つまり、貸主が所有する貸宅地の評価額については、次のように計算がされます。

貸宅地の評価額＝自用地の評価額×（1－借地権割合）

一方、家屋が貸主のものである場合、借地権は存在しませんが土地にも借主の借家権の一部が及ぶものと相続税法では考えます。

その金額は、借地権割合に借家権割合を掛け合わせたものとなります。

結果として、土地と家屋を貸している「貸家建付地」の評価については、自用地の評価額からこの借主の権利相当額を控除した金額となるのです。

つまり、貸主が所有する貸家建付地の評価額は、次のように計算されます。

貸家建付地の評価額 ＝ 自用地の評価額 ×（1 − 借地権割合 × 借家権割合）

例えば、借地権の割合が70%、借家権の割合が30%であれば、貸家建付地の評価額は、自用地の約80%（1 − 70% × 30%）となるということです。

要するに、何も家屋の建っていない更地であれば自用地として評価がされるところを、そこに家屋を建てて賃貸することで、その土地は貸家建付地となり、その評価額を約20%引き下げることができるということになります。

また、家屋については、固定資産税評価額は新築であれば、その取得価額の60%程度であるのに加えて、貸家となればさらにその70%で評価されることになります。

つまり、賃貸用の家屋を建築することで、その家屋は建築価額の約40%（60%×70%）で評価がされることになるので、手持ちの資金での投資にせよ借入れによる投資にせよ、家屋の建築価額の約60%の金額だけ遺産総額を引き下げることができるのです。

◎路線価を使った相続税評価額の計算方法

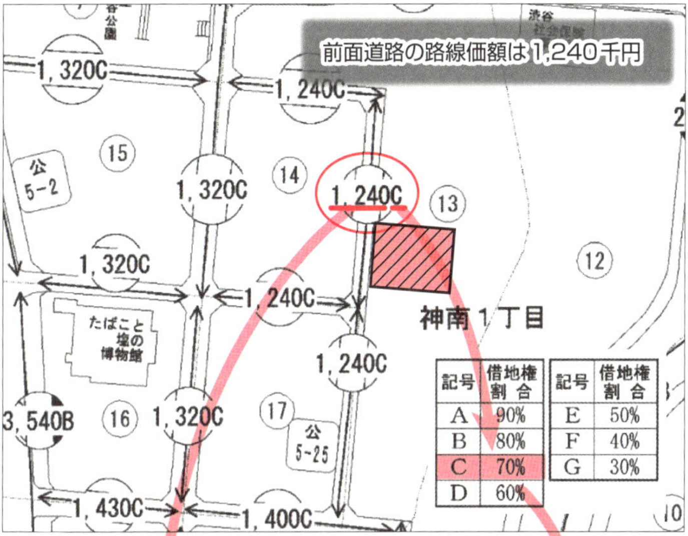

ケース 東京都渋谷区神南1丁目にある賃貸用マンションの敷地100㎡の相続税評価額はいくらになりますか

路線価
1㎡あたり124万円
(1,240千円)

借地権割合
Cとあるので70%

敷地の評価額 計算式は下記のようになります

路線価 × 面積 ×(1－借地権割合×借家権割合)

@124万円 × 100㎡ ×(1－0.7×0.3)＝**9,796万円**

土地も家屋も賃貸用のほうが評価が低いのか

未利用の土地は固定資産税が掛かるばかりで収益は生みません。

その上、相続税法上、自用地として高い評価がされます。

未利用の土地や青空駐車場のような効率の良くない利用方法のされている土地について、家屋を建築して賃貸することで、固定資産税をまかなったり、将来の相続税の納税をするための資金を生み出すことも可能になるかもしれません。

さらに、相続税の評価額を引き下げる効果もあるので、節税ありきで回収のできないような無謀な不動産投資をするのは論外とはいえ、事業計画を吟味した上であれば、そのような土地の有効活用を検討する価値は十分あるはずです。

ここまで知っていると信頼される!

●「小規模宅地の評価減」の活用でさらに不動産の評価額を下げられる

相続が発生して、自宅や賃貸用不動産が相続税の対象になった結果、納税額が多額になり、自宅や賃貸用不動産を手放すことになってしまっては、遺された家族は生活していくことが困難になってしまいます。

そこで、遺族の生活の基盤を維持するのに必要な財産を守るために「小規模宅地等についての相続税の課税価格の計算の特例（小規模宅地の評価減）」という制度があります。

この制度を活用することで、一定の要件を満たした土地であれば、相続税の対象となる評価額を50%もしくは80%も下げることができるのです。

どんな土地ならこの制度を使えるんだろう

この制度を利用するためには、細かな要件は多数ありますが、ここでは制度の概要を理解していきましょう。

土地はその用途別にみると、居住用・事業用・貸付用の3つに分けられます。

居住用の土地については、被相続人と同居していた配偶者や親族がその居住用の土地を相続した場合や、被相続人が生計を共にする親族の居住用に土地を貸していてそれをその親族が相続した場合などの要件に該当すれば、その土地の相続税の評価額は、240平方メートルまで80%減額させることができます。＊1

＊1 平成27年1月以降の相続から最大で330平方メートルまで小規模宅地の評価減を適用することができるようになります。

つまり、その部分については、適用前の評価額の20%の金額で良いということです。

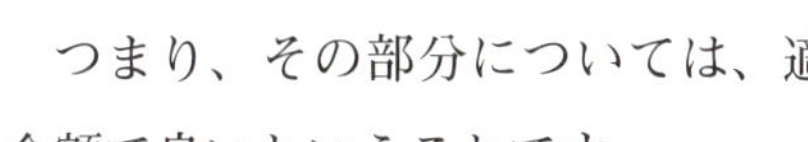
なんと8割引で評価できるのか

事業用の土地については、被相続人が不動産賃貸業以外の

◉小規模宅地の評価減の減額割合と適用条件

利用方法	減額割合	上限面積
特定事業用宅地 （相続人が事業を継続など）	80%	400㎡
特定居住用宅地 （配偶者が相続、同居親族が相続してそのまま居住など）	80%	240㎡ （H27年以降330㎡）
貸付事業用宅地	50%	200㎡

（注）複数の利用方法の対象となる土地がある場合には、面積の調整があります

土地と家屋の所有者が違う場合など、実際の適用要件は複雑なので、詳細の確認は必要よ

事業を営むのに使っていた土地を親族が相続するなど、一定の要件に該当する場合、400平方メートルまでその土地の評価額を80％減額することができます。

一方、貸付用に利用されている土地については、被相続人の親族が相続している、申告期限までに不動産賃貸貸業を親族が引き継いでいる、などの要件を満たすのであれば、200㎡までその土地の評価額を50％減額することができます。

手続きはどうすればいいんだろう？

小規模宅地の評価減を受けることで、課税遺産総額が基礎控除の金額以下になれば、相続税の納税の必要はありません。

ただし、この特例は、原則として申告期限までに相続税の申告書を提出することで、はじめてその適用を受けることができるのです。

ですから、相続税額はゼロであったとしても、申告期限までに相続税の申告書の提出は必要で、もし申告書を提出しない場合には、相続税の納税額が発生してしまう場合もあるので注意が必要です。＊2

＊2 小規模宅地の評価減の対象となる土地は、遺産分割により相続をする人が確定したものに限ります。

さらに詳しくなるための参考資料

●法定相続人の優先順位と法定相続分

1．法定相続人の優先順位

被相続人の配偶者は常に相続人となります。配偶者以外の人は、次の順位で配偶者と一緒に法定相続人になります。

第１順位	被相続人の子供
第２順位	被相続人の父母や祖父母などの直系尊属
第３順位	被相続人の兄弟姉妹

（注１）相続を放棄した人は、初めから法定相続人でなかったものとされます。
（注２）内縁関係の人は、法定相続人に含まれません。

2．法定相続分

法定相続人	法定相続分	
	配偶者	配偶者以外
配偶者と子供	１／２	１／２
配偶者と直系尊属	２／３	１／３
配偶者と兄弟姉妹	３／４	１／４

（注）子供、直系尊属、兄弟姉妹がそれぞれ２人以上いるときは、原則として配偶者以外の法定相続分を均等に分けた割合となります。

●相続税の速算表

各人の課税遺産総額	H26.12.31まで		H27.1.1から	
	税率	控除額	税率	控除額
1,000万円以下	10%	－	10%	－
1,000万円超 3,000万円以下	15%	50万円	15%	50万円
3,000万円超 5,000万円以下	20%	200万円	20%	200万円
5,000万円超 1億円以下	30%	700万円	30%	700万円
1億円超 2億円以下	40%	1,700万円	40%	1,700万円
2億円超 3億円以下			45%	2,700万円
3億円超 6億円以下	50%	4,700万円	50%	4,200万円
6億円超			55%	7,200万円

相続税額 ＝ 課税遺産総額 × 税率 － 控除額

●小規模宅地の評価減の適用要件（抜粋）

（1）特定事業用宅地等の例

宅地等の利用区分	特例の適用要件	
被相続人の事業の用に供されていた宅地等	事業承継要件	その宅地等の上で営まれていた被相続人の事業を相続税の申告期限までに引き継ぎ、かつ、その申告期限までその事業を営んでいること。
	保有継続要件	その宅地等を相続税の申告期限まで有していること。

(2) 特定居住用宅地等の例

宅地等の利用区分	特例の適用要件	
	取得者	取得者ごとの要件
被相続人の居住の用に供されていた宅地等	被相続人の配偶者	「取得者ごとの要件」はありません
	被相続人と同居していた親族	相続開始の時から相続税の申告期限まで、引き続きその家屋に居住し、かつ、その宅地等を相続税の申告期限まで有している人
	被相続人と同居していない親族	①及び②に該当する場合で、かつ、次の③から⑤までの要件を満たす人 ①被相続人に配偶者がいないこと ②被相続人に相続開始の直前においてその被相続人の居住の用に供されていた家屋に居住していた親族で相続人がいないこと ③相続開始前3年以内に日本国内にある自己または自己の配偶者の所有する家屋に居住したことがないこと ④その宅地等を相続税の申告期限まで有していること ⑤相続開始の時に日本国内に住所を有していること、または、日本国籍を有していること

(3) 貸付事業用宅地等の例

宅地等の利用区分	特例の適用要件	
被相続人の貸付事業の用に供されていた宅地等	事業承継要件	その宅地等に係る被相続人の貸付事業を相続税の申告期限までに引き継ぎ、かつ、その申告期限までその貸付事業を行っていること
	保有継続要件	その宅地等を相続税の申告期限まで有していること

(注) 詳細は国税庁タックスアンサーNo.4124「相続した事業の用や居住の用の宅地等の価額の特例(小規模宅地等の特例)」を確認してください。

まとめ

◎遺産総額が基礎控除を超える場合に、その部分のみに相続税が課税される

◎土地の評価額は、市街地ならば路線価により、市街地以外ならば固定資産税評価額に倍率を掛けて算出する

◎賃貸用不動産は、自ら使用する不動産よりも相続税法上の評価額は低い

◎更地に賃貸用の建物を建築することで、相続税法上の遺産総額を減らすことも

◎一定の自宅用地や不動産賃貸業以外の事業用地については、一定面積まではその土地の評価額の 80%の評価減ができる

◎一定の不動産賃貸用の土地については、一定面積までその土地の評価額の 50%の評価減が可能

◎小規模宅地の評価減を利用することで遺産総額が基礎控除以下となる場合にも、相続税の申告は必要

ダイアローグ

⑭財産をもらったことに対する贈与税

相続税を避けても別の税金が

:「相続税の負担が心配な資産家は、子供たちにどんどんお金をあげちゃえばいいんじゃないですかね。どうせ持っていたって相続税で取られちゃうんだし。」

:「でも、相続税の負担を避けようという生前の贈与については『贈与税』という別の税金が課されるでしょ。それも、相続税よりも贈与税のほうがずっと高いのよ。」

:「えっ、贈与税の方が高いのですか（汗）。」

:「さらに、不動産の所有者が変わるときには、登録免許税や不動産取得税なども掛かるでしょ。これらも、相続で移転したほうが贈与で移転するよりも安くなっているのよ。」

:「うわっ、そうなんですか」

:「だから、あまり遺産が多くなくてそれほど相続税の負担の大きくない人は、生前に贈与をしたほうがかえって税金の負担が大きくなっちゃうこともあるわけ。」

:「でも、現役世代は子育てや住宅ローンの返済などでお金が掛かります。リタイアした親世代から贈与をしてもらえば、どんどん使って景気も良くなるんじゃないかと。僕だったらもらった分は全部使う自信があります。（キリッ）」

:「そんなこと自慢されても。まあ、あなたは日本経済のためにこれからもせいぜいお金を使ってくださいな。」

:「そのほうが、景気は良くなると思うんですけどね～。」

:「だから、国もその点は考えていて、親や祖父母から子や孫たちへの住宅やその取得資金の贈与については非課税の枠を広げたり、生前に贈与をしても贈与税の負担を相続時まで待ってくれるような制度も用意してあるの。」

:「贈与税の負担を待ってくれるといっても、結局相続したときに税金は取られるんですね。」

:「贈与した資産を含めた遺産の総額が基礎控除を超えているならね。」

:「じゃあ、こっそり贈与しちゃったらいいんじゃないかと。バレやしませんって。イ・ヒ・ヒ。」

:「あんたみたいのがいるから、税務署から資金の出所について『お尋ね』とかがくるんじゃないの。」

:「う～ん。先を越されたか。」

:「あなたが考えることくらいお上は百も承知よ。そんなこと考えてないで、ちゃんと贈与税の仕組みを理解してよね。」

14 財産をもらったことに対する贈与税

★これを知らないと恥ずかしい……

●贈与税を負担しなければならないのはどういう場合？

他の人に無償で自分の財産をあげることを「贈与」といいます。

贈与は、贈与する方が相手に財産を一方的に渡しても贈与とはみなされません。贈与する側（「贈与者」といいます）と贈与される側（「受贈者」といいます）の双方が合意して初めて有効となるのです。

個人が「1月1日から12月31日までの期間」（「暦年」といいます）に他の個人から贈与された財産の合計額が一定金額を超える場合、「贈与税」という税金が課されます。

ただし、法人から贈与があった場合には贈与税の対象にはなりません。所得税の対象になるので注意が必要です。

個人が個人から贈与されたときだけが贈与税か

まずは、原則的な贈与税の計算方法から説明していきましょう。

その年1月1日から12月31日までに贈与を受けた財産の価額の合計額（「課税価格」といいます）から基礎控除で

ある 110 万円を差し引いた残額が「贈与税の課税対象金額」となります。

家族の面倒を見たらそれも贈与なのかなあ

ただし、親族間で生活費や教育費として渡された金銭、冠婚葬祭の機会に渡されるお香典やご祝儀、お中元・お歳暮などの時節の贈り物については、不自然なほどに多額であったりしなければ、贈与税の課税の対象とはされません。

贈与税の申告手続きはどうやるんだろう

基礎控除が 110 万円あるということは、贈与された財産の課税価格が 110 万円以下であれば、贈与税額はゼロになります。その際には、贈与税の申告書を作成して提出する必要も原則としてありません。

なお、贈与税の基礎控除額はあくまでも受贈者一人につきの金額です。贈与者一人につきの金額ではありません。

反対に、課税価格が 110 万円を超える場合には、受贈者は贈与税を納める必要がありますが、その贈与税額は、贈与税の課税対象金額にその金額に応じた税率を掛けることで計算されます。

この贈与税の税率は、所得税や相続税と同じように、課税対象金額が上がるにつれて税率も上がる累進課税制度が採られているのです（→ 251 ページ「贈与税の速算表」参照）。

●親族間の不動産取引は贈与税に注意を

親族間の不動産取引については、思わぬところで贈与税の課税対象とされることがあります。

例えば、親から子供に不動産を譲渡するときに、子供にはお金がないし、高い価額で譲渡をしても親の所得税等が高くなるだけなので、不動産をその時価に比べて著しく低い価額で譲渡したとしましょう。

本来であれば、子供は時価相当の金額を負担しなくてはならないのに、著しく低い金額の負担をするだけでその不動産を手に入れることができてしまいます。

このような場合には、時価と著しく低い価額との差額について、親から子供に贈与がされたものとして贈与税の対象となるのです。

両者が納得しているから良いわけじゃないのか

また、不動産の名義を変更するということは、その財産の価値が移転することになります。その財産の価値に見合った対価のやりとりもなく不動産の名義が変更された場合には、名義変更前の所有者から変更後の所有者に対してその不動産の価値の贈与がされたものとして贈与税の対象となります。

同様の考え方から、購入した不動産の持分と資金の負担割合に差がある場合には、その差に対応する金額が贈与税の対象となるわけです（→85ページ参照）。

●負担付贈与とされると不動産の評価が通常の取引価額に

贈与された財産の評価方法は、基本的に相続税における評価方法と同じです。

土地であれば「路線価方式」や「倍率方式」により、建物であれば固定資産税評価額をベースにして評価することになります。

しかし、住宅ローンの残債を返済することを条件に不動産を贈与するなど、何らかの負担をすることを条件に贈与をされる場合（「負担付贈与」といいます）は注意が必要です。

負担付贈与では、贈与税の課税価格は、贈与された財産の評価額から、負担することが条件とされた債務の金額を差し引いた金額となります。

この際に、贈与される財産が不動産である場合には、その評価額は相続税評価額ではなく、そのときの「通常の取引価額」により評価されるのです。

土地については、路線価が公示地価の概ね80%になるように設定されている上に、新築の家屋であれば、固定資産税評価額が購入価額の概ね60%程度で評価されているなど、

一般的には通常の取引価額は、相続税評価額よりも高くなることが多いといえます。

結果的に、不動産単体を贈与したときよりも、不動産を負担付贈与したほうが、贈与税が高くなることも多いのです。

なお、賃貸用のマンションを贈与する際には、入居者から預かった敷金などをそのまま受贈者が引き継ぐことが多いでしょう。

預かった敷金は、入居者が退出するときには返還が求められる債務です。その債務の負担を条件に贈与をされたということは、本来、この贈与は、負担付贈与とされてしまいます。

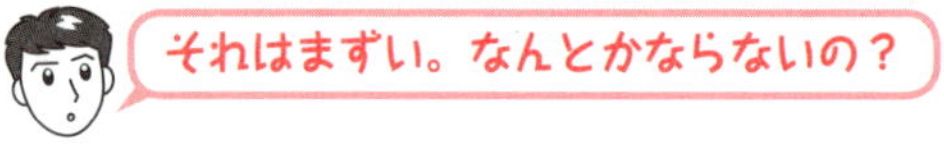

しかし、いずれ返済をしなくてはいけない敷金相当額を不動産とあわせて贈与することで負担付贈与とされることを回避できるのです。

●不動産は相続で取得するよりも贈与で取得するほうが税金は高い

そもそも、この贈与税は、なぜ設けられたのでしょうか。

資産家が多額の財産を残して亡くなると、相続税の納税額がとても高額になってしまう場合があります。

負担の重い相続税を払うくらいなら、被相続人となる人は、生きているうちに配偶者や子どもたちに財産を渡したいと考えるのが自然でしょう。

しかし、生前に贈与をすることで相続税を免れてしまうのであれば、相続税を支払う人などいなくなってしまいます。

そこで、いずれ相続税の課税対象となるような財産を生前に贈与する場合には、相続税の代わりに贈与税を課税するという仕組みになっているのです。

相続税と贈与税はどっちが高いんだろう？

贈与税は、相続税の課税逃れを防止するという色合いが強いことから、贈与税の税率は相続税の税率に比べて高くなっています。

また、不動産取得税や登録免許税についても、贈与をしたときのほうが相続で財産を移転したときよりもその負担が大きくなるのです。

相続税の負担を軽減しようとあえて生前に不動産を贈与しようとする際には、賃貸用不動産の所得を親族に早い時点で移転させることができるなどのメリットが、贈与による移転をすることで増える税金以上の効果があるのかなどといったことを慎重に見極めることが必要だといえるでしょう。

ここまで知っていると信頼される！

●贈与税の配偶者控除で自宅の持分を贈与

夫名義の財産があったとしても、それは、妻の内助の功があってのものであり、いわば二人で作ってきた共通の財産であるともいえるでしょう。

そこで、結婚・入籍して20年以上経った夫婦の間で、居住用の不動産や、居住用の不動産を購入するための資金の贈与があった場合には、贈与税の課税価格から最大2,000万円の控除が認められています（→252ページ「贈与税の配偶者控除の主な適用要件」参照）。

これを「贈与税の配偶者控除」といいます。

これも手続きをしないといけないのかな？

この贈与税の配偶者控除は、一定の書類を添付した贈与税の申告書を提出することで受けられます。仮にこの控除を受けることで贈与税がゼロになるとしても、贈与税の申告だけは必要ですので注意が必要です。

なお、この制度は同じ配偶者からの贈与には、一生に一度しか使えません。

でも、自宅を贈与して贈与税を支払うのはなあ

居住用の不動産やその購入資金の評価方法は、通常の贈与と同じですが、この贈与税の配偶者控除を使うことで、基礎

控除と合わせて 2,110 万円（2,000 万円＋ 110 万円）を贈与税の課税価格から差し引いた上で贈与税額を計算することが出来ます。

しかし、実際には、夫婦間で贈与税の負担をするような自宅の贈与をするよりも、この非課税枠 2,110 万円の範囲内で自宅の持分を贈与することのほうが多いといえるでしょう。

◎贈与税の配偶者控除

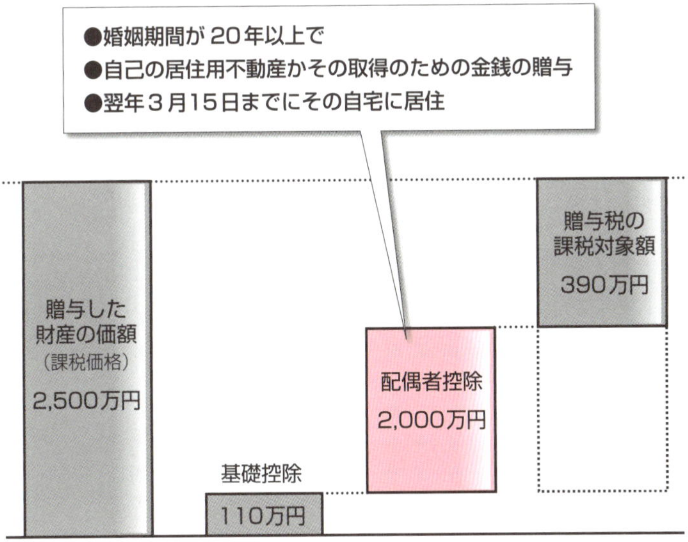

自宅を贈与する場合、この制度を使って非課税の範囲で持分の贈与をすることが多いわね。ただし、贈与税の申告だけは必要になるのよ

親世代から子世代への住宅資金贈与の特例

両親や祖父母などの「直系尊属」からその子や孫に住宅を取得するためなどの資金を贈与した場合にも贈与税の軽減措置があります。

平成24年1月1日から平成26年12月31日までの間に、直系尊属から住宅取得等のための資金の贈与を受けた場合で、一定の条件を満たすときには、平成26年は最大1,000万円までが非課税とされます。

これが「直系尊属から住宅取得等資金の贈与を受けた場合の非課税」という制度です。

贈与を通じて取得する居住用不動産が省エネ等住宅であるか否か、特例を受ける年度、などの条件によって非課税の金額に幅があります。

不動産の種類と取得する年度を確認したうえで、特例の適用を検討しましょう（→253ページ参照）。

相続時精算課税制度を選択すると2,500万円の控除が利用できる

贈与税は、その年の1月1日から12月31日までにもらった財産の額に対して税金が掛かるのが原則です。この計算方法を「暦年課税」といいます。

しかし、贈与税においては、この期間が定められている暦年課税とは別の納税方法も認められています。それが「相続

時精算課税制度」です（→252ページ参照）。

この制度は、65歳以上の親から20歳以上の子供への贈与については、2,500万円の控除枠が使えるというものですが、毎年課税価格から2,500万円の控除ができるというものではありません。＊1

＊1 平成27年1月1日以降の贈与からは、60歳以上の父母と祖父母から20歳以上の子または孫への贈与に拡大されます。

じゃあ、どういう意味なんだ？

贈与された財産の種類や金額に関係なく、複数年・複数回にわたって財産を贈与されても、合計で2,500万円の枠内であれば贈与税が掛からず、2,500万円の控除を超えた金額がある場合は、その金額に対して一律20％の税率で贈与税額が計算されるのです。

ただし、この相続時精算課税制度はその名の通りで、その贈与は相続時に精算がされます。

え？ どういうこと？

相続税の計算の際に、相続時精算課税制度によって贈与された財産については、その贈与時の評価額で相続財産に加算されます。

その上で、贈与財産も含めた課税遺産総額をもとに計算された各人が負担する相続税額を計算し、相続時精算課税制度で

◉相続時精算課税制度の仕組み

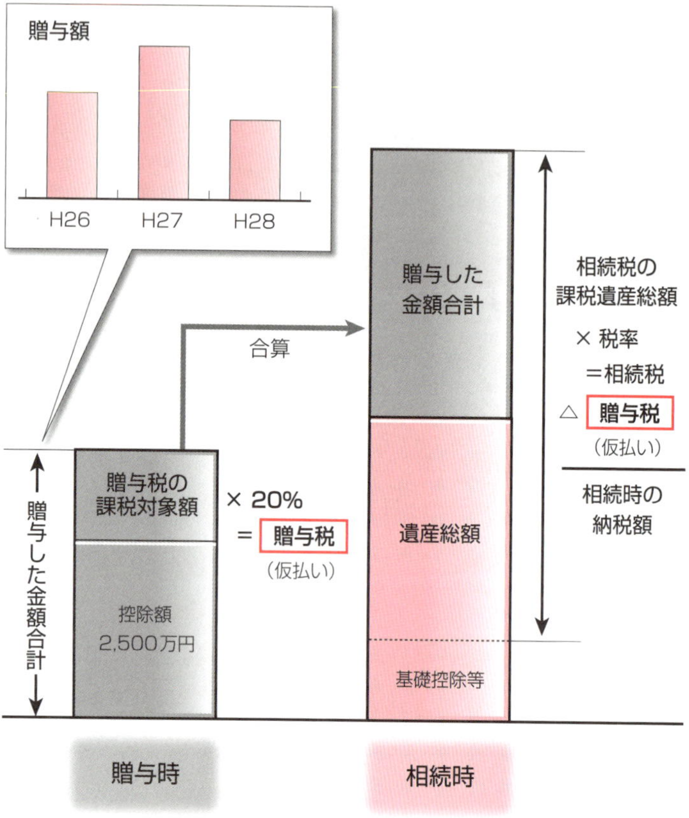

相続時精算課税制度を利用すれば、贈与時の贈与税の負担を回避ないし軽減できるけれども、相続時には、まとめて課税がされるのよ

納めた贈与税を差し引いて納付すべき相続税の額とするのです。

つまり、相続時精算課税とは、贈与時点では、控除枠内での贈与税の負担はなく、贈与税率も一律というものの、それらは単なる猶予や仮払いであり、相続時にその金額は精算されるということ。

あくまでも、贈与した時点での贈与税の支払いを先送りしているだけで、贈与税額を軽減しているわけではないのです。

贈与税の猶予であって軽減じゃないんだな

この相続時精算課税制度は、「贈与税の負担が高いために、リタイアした親世代からお金の必要な現役世代への財産の移転が進まず、うまく金融資産が活用されない」という批判に対応して作られた制度です。

この制度により、本来であれば贈与税の負担があるために躊躇をしていた親世代から子世代への贈与がされることもあるでしょう。

しかし、一度相続時精算課税制度を選択してしまうと後戻りはできません。

その後その贈与者から贈与された財産は、すべて相続時精算課税の対象となり、相続時に合算がされてしまいます。

つまり、毎年110万円までの範囲内で贈与をすることで、時間を掛けて相続税の対象となる財産を減らしていくという節税対策が全くできなくなってしまうのです。

ですから、多額の相続税の負担をすることが予想される資産家がこの制度を利用するのであれば、賃貸用不動産を早く子に贈与することで、そこから得られる賃貸収入を、早い段階で子に移すことができるなどのメリットと、その後の相続税対策に制約がかかるというデメリットを慎重に検討する必要があるでしょう。

手続きはどうすればいいんだろう？

なお、相続時精算課税制度を利用するには、必要書類と贈与税の申告書とともに税務署への届出書の提出が必要です。

その後に贈与がされたときには、年間で110万円以下の贈与であっても贈与税の申告が必要となります。手続き面での煩雑さがあることにも十分注意してください。

さらに詳しくなるための参考資料

●贈与税の速算表

<table>
<tr><th rowspan="3">課税対象額</th><th colspan="2">H26.12.31 まで</th><th colspan="4">H27.1.1 から</th></tr>
<tr><th rowspan="2">税率</th><th rowspan="2">控除額</th><th colspan="2">一般贈与</th><th colspan="2">特定贈与</th></tr>
<tr><th>税率</th><th>控除額</th><th>税率</th><th>控除額</th></tr>
<tr><td>200 万円以下</td><td>10%</td><td>—</td><td>10%</td><td>—</td><td>10%</td><td>—</td></tr>
<tr><td>200 万円超
300 万円以下</td><td>15%</td><td>10 万円</td><td>15%</td><td>10 万円</td><td rowspan="2">15%</td><td rowspan="2">10 万円</td></tr>
<tr><td>300 万円超
400 万円以下</td><td>20%</td><td>25 万円</td><td>20%</td><td>25 万円</td></tr>
<tr><td>400 万円超
600 万円以下</td><td>30%</td><td>65 万円</td><td>30%</td><td>65 万円</td><td>20%</td><td>30 万円</td></tr>
<tr><td>600 万円超
1,000 万円以下</td><td>40%</td><td>125 万円</td><td>40%</td><td>125 万円</td><td>30%</td><td>90 万円</td></tr>
<tr><td>1,000 万円超
1,500 万円以下</td><td rowspan="4">50%</td><td rowspan="4">225 万円</td><td>45%</td><td>175 万円</td><td>40%</td><td>190 万円</td></tr>
<tr><td>1,500 万円超
3,000 万円以下</td><td>50%</td><td>250 万円</td><td>45%</td><td>265 万円</td></tr>
<tr><td>3,000 万円超
4,500 万円以下</td><td rowspan="2">55%</td><td rowspan="2">400 万円</td><td>50%</td><td>415 万円</td></tr>
<tr><td>4,500 万円超</td><td>55%</td><td>640 万円</td></tr>
</table>

贈与税額 ＝ 課税対象額 × 税率 － 控除額

（注）特定贈与とは、その年の 1 月 1 日で 20 歳以上の者が直系尊属からされる贈与のことです。

●相続時精算課税の主な適用要件

対象者	適用要件	
	H26.12.31まで	H27.1.1から
贈与者	65歳以上の親	60歳以上の親、祖父母
受贈者	20歳以上の推定相続人である子（注1）	20歳以上の推定相続人である子および孫

（注1）子が亡くなっている場合に限り、20歳以上の孫も受贈者として認められます。
（注2）詳細は国税庁タックスアンサーNo.4103「相続時精算課税の選択」を確認してください。

●贈与税の配偶者控除の主な適用要件

① 夫婦の婚姻期間が20年を過ぎた後に贈与が行われたこと
② 配偶者から贈与された財産が、自分が住むための国内の居住用不動産であること、または、居住用不動産を取得するための金銭であること
③ 贈与を受けた翌年3月15日までに、贈与により取得した国内の居住用不動産、または、贈与を受けた金銭で取得した居住用不動産に、贈与を受けた者が現実に住んでおり、その後も引き続き、住む見込みであること

（注）詳細は国税庁タックスアンサー「No.4452　夫婦の間で居住用の不動産を贈与した時の配偶者の控除」を確認してください。

●親世代から子世代への住宅資金贈与の特例の主な適用要件

① 次のいずれかに該当する者であること。 イ. 贈与を受けたときに、日本国内に住所を有する ロ. 贈与を受けたときに、日本国籍を有し、かつ、受贈者か贈与者がその贈与の前5年以内に、日本国内に住所を有したことがある ハ. 贈与を受けたときに、贈与者が日本国内に住所を有する
② 贈与を受けたときに、贈与者の直系卑属であること
③ 贈与を受けた年の1月1日において、20歳以上であること
④ 贈与を受けた年の合計所得金額が2,000万円以下であること

（注）詳細は国税庁タックスアンサーNo.4508「直系尊属から住宅取得資金の贈与を受けた場合の課税」を確認してください。

まとめ

◎1年間で110万円超の贈与を受けた人は贈与税が掛かる

◎贈与税を計算する場合の土地の評価額は相続税の評価額による

◎贈与税は相続税の負担を逃れることを防止する目的があるため、その負担は相続税よりも重い

◎ローン返済などの条件の付いた贈与である負担付贈与の場合、不動産の評価額は時価となる

◎婚姻期間20年以上の夫婦間でされる自宅用不動産や自宅購入資金の贈与であれば2,000万円まで非課税枠が上乗せされる

◎一定の直系尊属からの自宅の贈与等については、一定の金額までは非課税

◎2,500万円までの贈与について贈与税の課税を見送る相続時精算課税制度もあるが、相続時にその贈与を合算して相続税の計算をすることに注意を

【著者紹介】

吉澤　大（よしざわ・まさる）

◉——1967 年生まれ。税理士、中小企業診断士、宅地建物取引主任者。明治大学商学部卒業。國學院大學大学院経済学研究科博士前期課程修了。

◉——不動産全般、とりわけ相続や事業承継、資産税に強い税理士として、首都圏を中心に活躍。顧問先に不動産会社を多数抱え、税務の戦略的なアドバイスができる「不動産のプロ」の育成に尽力している。一方で、税務・資金調達という自身の専門分野で経営者が抱える種々の難問に取り組んでおり、「ファイナンス用心棒」との異名をとる。

◉——大学院在学中に國學院大學公開講座講師を務めた後、本郷公認会計士事務所（現 辻・本郷税理士法人）勤務を経て、1994 年、当時26 歳で吉澤税務会計事務所を開設。現在、同事務所代表、株式会社トータル・マネジメント・コンサルティング代表取締役及びアライアンスLLPパートナー。

◉——著書に『一生食べていくのに困らない経理の仕事術』（かんき出版）、『マジビジPRO 意外と分かっていない人のための会社のお金の常識41』（ディスカヴァー・トゥエンティワン）、『つぶれない会社に変わる！ 社長のお金の残し方』（日本実業出版社）など多数がある。

所属事務所サイト http://www.at-brain.com/

<執筆協力>　鈴木　克俊　税理士・鈴木税務会計事務所
　　　　　　天野　伴　　税理士・天野伴税理士事務所

〈2時間《じかん》で丸《まる》わかり〉不動産《ふどうさん》の税金《ぜいきん》の基本《きほん》を学《まな》ぶ　〈検印廃止〉

2014年 2 月 17 日　第 1 刷発行
2014年12月 11 日　第 4 刷発行

著　者——吉澤　大©
発行者——齊藤　龍男
発行所——株式会社かんき出版
東京都千代田区麹町4-1-4 西脇ビル　〒102-0083
電話　営業部：03(3262)8011㈹　編集部：03(3262)8012㈹
FAX　03(3234)4421　振替　00100-2-62304
http://www.kanki-pub.co.jp/

印刷所——ベクトル印刷株式会社

ISBN978-4-7612-6978-4 C0034